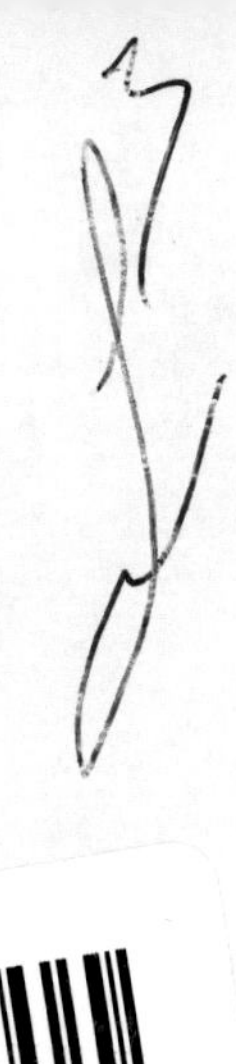

La Otra Cara De La Victoria

"Un Dramático Testimonio de Fe Construido en Medio del Sufrimiento"

Carlos y Miriam Peñaloza

La Otra Cara de La Victoria
Pastor Carlos Peñaloza

Ilustración:
Mauricio Céspedes

Diseño y Diagramado:
Gisella Quevedo y Mauricio Céspedes

Escrituras tomadas de la Santa Biblia (Versión Reina Valera 1960)

Categoría: Testimonio
ISBN: 978-0-615-44788-9

Primera Impresión- 6.000 copias: Colombia. Año 2011
Segunda Impresión- 1.000 copias: Ecuador. Año 2013
Tercera Impresión- 3.000 copias: Bolivia. Año 2016

Una producción de:
EKKLESIA USA
Virginia, Estados Unidos

www.ekkle.com
www.laotracaradelavictoria.com

e.mail: contacto@ekkle.com
info@laotracaradelavictoria.com

Teléfono: (1) 703-464-5877

Dedicatoria

Quiero dedicar esta obra a Miriam, mi esposa. Sin ella hubiese sido imposible ofrecer este testimonio.

Ella es mi heroína. No conozco otra persona como ella que ora hasta recibir respuestas divinas al presentar sus cargas ante Dios. Su dedicación, su enfoque, su sacrificio, su detalle en todo cuanto se propone hacer, adornada del gozo del Espíritu Santo al poner manos a la obra, logran que todo lo que ella hace tenga el sello de la excelencia, la bendición de Dios y los resultados esperados, y en el caso de nuestros hijos, ella ha sido la arquitecto de su fe y expectativa de la eternidad con Cristo, ciertamente ella ha logrado todo lo diseñado por Dios para mis hijos.

Nunca escuché una palabra de reproche durante nuestra difícil travesía. Nunca cuestionó mi liderazgo. Y, cuando pasó por tantos sufrimientos, lo hizo en silencio; refugiándose en el único que puede darnos todas las respuestas: Nuestro Señor Jesucristo.

Gracias mi amor por ser como eres y por perseverar a mi lado por todo este nuestro peregrinaje.

Agradecimientos

En primer lugar quiero dar gracias a Dios, pues sin su ayuda hubiera sido imposible escribir este testimonio.

Mi agradecimiento para el personal de Ekklesía USA, que ha estado junto a nosotros en todo el proceso de elaboración y preparación del libro. Gracias a Silvia Daza por preparar el manuscrito, y a Salomon Paredes por su trabajo en todos los detalles que se necesitaron para esta edición.

Podemos ver convertida en realidad esta obra gracias al amor y la fidelidad de las personas que forman parte de la iglesia Ekklesia USA, nuestra última hija espiritual.

Finalmente mi eterna gratitud a todas las personas que en el proceso de nuestra vida han jugado un papel en la formación de nuestro testimonio. Para Miriam y para mí ellos son nuestros ángeles de carne y hueso.

¡Dios los Bendiga!

Comentarios

El libro que ahora tiene en sus manos es uno de los libros más desafiantes que usted podrá leer.

He tenido el privilegio de caminar con Carlos y Miriam a finales de 1970. Su fe siempre me ha inspirado tanto como sé que inspirará la suya.

Muy pocos han atravesado situaciones como ellos y muy pocos, como ellos, han salido convertidos en oro puro.

Gracias, Carlos y Miriam, por compartir sus vidas y testimonio a través de este libro.

Dick Iverson
Fundador-Bible Temple (Actualmente City Bible Church)
Fundador - Ministers Fellowship International

Comentarios

Algunos tipos de dolores son simplemente indescriptibles. para aquellos de nosotros que no hemos perdido un hijo, es imposible referirse a ese tipo de experiencia. Esta es la historia de una pareja que perdió no uno, sino sus cuatro hijos; sin embargo están seguros que Dios sanó su dolor y les dio la fuerza que necesitaban para seguir con sus vidas.

¡Esta es una historia absolutamente increíble! Ni siquiera puedo imaginar pasar por ese tipo de dolor. ¡Y qué testimonio de la fidelidad de Dios!

La Biblia nos enseña que Dios es el Dios de toda consolación y cuando usted escucha una historia como esta, comprende que ellos tuvieron que recibir consuelo sobrenatural, porque nos muestran que no hay manera para sanar esa pena, que no sea mediante la ayuda de Dios, para tener la posibilidad de disfrutar de la vida maravillosa que ahora tienen y poder decir que han sido sanados al cien por ciento.

Joyce Meyer
Programa Enjoying Everyday Life: "God's Comfort"

PRÓLOGO

Es un libro realmente excepcional. Justo para el momento que vivimos.

Le confieso algo al lector: Después de haber hecho el prólogo de muchísimos libros de amigos cercanos y lejanos, en este caso me siento absolutamente inepto. Es un alto honor que Carlos me otorga invitándome a escribir unas pocas líneas de introducción a esta obra magistral. Al leer "*La Otra Cara De La Victoria*" me pareció escuchar una majestuosa sinfonía.

Los relatos que los Pastores Carlos y Miriam Peñaloza nos comparten son como el libro de Job en tiempos modernos.

¡Cuánta honestidad en las explicaciones! Carlos desnuda su corazón, el corazón de un verdadero siervo de Dios.

También nos hace vivir cumbres de gloria trayendo a nosotros memorias sublimes. El asombroso ministerio de Julio César Ruibal que no sólo sacudió a Bolivia, sino que desbordó sus fronteras. La tierna relación con los cuatro preciosos hijos. Las luchas, las preguntas en medio de las pruebas que llegaron a extremos casi inexplicables.

Los "ángeles" que ministraron a sus necesidades; los milagros poderosos que experimentaron. El dulce encuentro de Daniela con Barney… ¡Y tantas cosas más!

Algo que me bendice mucho: las fotos de Carlos y Miriam en las últimas páginas. ¿Estos son los rostros de quienes han pasado por el horno de la prueba? ¡Qué bellos se ven los dos! ¡Cuánta paz que reflejan!

Al leer este libro sentí que estaba ante un gigante.

Y aquí viene la razón por la que afirmo que este libro es justo para el momento que vivimos.

Temo que en esta etapa de la historia cristiana del continente, se ha exaltado desmedidamente a personalidades cristianas como lo hace Hollywood con "sus estrellas".

Se ha hablado mucho de éxito, logros, prosperidad; se ha enfatizado mucho las añadiduras. Tal vez por esto es que nuestro cristianismo no transforma la sociedad; es superficial y ha llenado nuestras congregaciones de personas que llegan buscando "los panes y los peces". ¡Un montón de niños espirituales que al primer vientito de otoño, les da pulmonía!

Este libro presenta con claridad la faceta descuidada de nuestra teología: el sufrimiento.

El sufrimiento que, aunque queramos darle la espalda, está allí; es parte de la vida. Este libro nos enseña que el desarrollo del carácter es fundamental para el cristiano.

No amamos a Dios por lo que Él nos da. Le amamos y servimos por lo que Él es: el dueño, la máxima autoridad, el soberano, el todo de nuestra vida.

Gracias queridos Pastores Peñaloza por ser tan sinceros y abiertos al compartirnos este testimonio glorioso. Este libro secará las lágrimas de muchos que están "***en el valle de la sombra y la muerte***", hará posible que muchos descubran que, aún en medio del dolor, "***Él es nuestro Pastor***", "***Su vara y Su cayado nos infunden aliento***".

Doy una cálida bienvenida a "*La Otra Cara De La Victoria*"; un libro que todos deberían leer. Esta obra literaria impartirá la fortaleza del Señor a sus vidas.

Con gran admiración,

Alberto H. Mottesi

"Y por todos murió, para que los que viven, ya no vivan para sí, sino para aquél que murió y resucitó por ellos."
2ª Corintios 5:15

ÍNDICE

INTRODUCCIÓN

Desde que comencé a servir al Señor, tuve expectativas y anhelos ministeriales que iban desde lo más sencillo hasta lo más grandioso. A medida que maduraba en el caminar con Cristo, leyendo testimonios de hombres que sirvieron a Dios y que fueron instrumentos poderosos en Sus manos, esos anhelos se convirtieron en un ferviente deseo de ser instrumento útil para Dios y la causa del evangelio.

Fui discipulado por un ministro joven que fue utilizado poderosamente en el primer y único avivamiento vivido en Bolivia, con verdaderas señales y prodigios, tal y como la Biblia describe que sucedían en la iglesia primitiva. Comprendí que todo era posible en el nombre de Jesús, porque lo había visto con mis ojos. Tenía en mi pastor, Julio César Ruibal, el ejemplo real de que era posible servir a Dios y ver las señales bíblicas en el ministerio y, en consecuencia, en esa época me era perfectamente natural esperar y pensar que mi vida daría gloria a Dios dentro del marco de un ministerio próspero, multitudinario e internacional. De hecho, todas esas cosas con el tiempo se hicieron realidad, pues formé parte de uno de los más fructíferos ministerios que Dios levantó en mi generación.

Sin embargo, ignoraba por completo que los planes de Dios eran distintos a los míos. Sin yo saberlo, El había establecido que nuestro testimonio serviría de inspiración, motivación y consuelo para miles de personas, pero no solamente a través de señales, prodigios y un ministerio glorioso, sino también por medio de una vida que experimentaría la victoria en medio del sufrimiento llevado al extremo y así recibir la consolación del Espíritu Santo

de Dios que no tiene explicación razonable y que sobrepasa todo entendimiento. Es de esta manera que Miriam y yo llegamos a comprender que la victoria tiene dos caras: una es aquella que todos conocemos y que todos deseamos ... la del éxito, los milagros, señales y nubes de gloria... la otra, que posiblemente muchos conocen y aceptan pero de ninguna manera desean... la de la victoria con pérdida, sufrimiento, la que no produce aplausos, sino un silencio de admiración y adoración a aquél que cumple lo que prometió en su palabra "He aquí todas las cosas ayudan a bien a los que aman a Dios, a los que son llamados conforme a su propósito" Romanos 8:28

Uno de los textos bíblicos que más impactó mi vida desde que empecé a caminar con el Señor, es el de Hebreos capítulo 11. Allí aprendí en detalle los nombres y las experiencias de hombres y mujeres que anduvieron con Dios y que gracias a una fe incomparable hicieron proezas y sintieron el poder de lo alto actuando a través de sus vidas y trayendo beneficios para ellos, para sus familias y para todo su pueblo. En ese texto bíblico no sólo conocí el verdadero significado de la fe, sino también las dimensiones de andar asido de la mano de Dios por encima de cualquier circunstancia.

Los primeros versículos del capítulo nos conducen por un camino lleno de aventuras y acontecimientos emocionantes relacionados con Abel, Enoc, Noé, Abraham, Sara, Isaac, Jacob, José, Moisés, Rahab la ramera y muchos otros cuyo actuar siempre se desarrolló en la dimensión de la fe. Cuando leí por primera vez acerca de las vivencias de estos personajes, cerré mis ojos y empecé a anhelar lo que ellos tuvieron. Me preguntaba cómo se sentiría Moisés parado frente al Mar Rojo, con un ejército de egipcios a punto de alcanzarlo y Dios diciéndole: "¡Golpea con tu vara!", para luego ver abrirse el mar y poder pasar, conduciendo a tres millones de personas como por tierra seca. Me preguntaba también cómo sería la experiencia de Enoc caminando al lado de Dios y hablando con El. Me preguntaba muchas cosas más sobre los hombres que se pasearon en medio de fuegos impetuosos y taparon bocas de leones. Esa es la cara de la victoria que todos

conocemos y era la que yo quería experimentar. Pero al leer del versículo 35 en adelante, en el mismo capítulo 11 de Hebreos, me encontré con algo totalmente diferente: Muchos de estos hombres y mujeres fueron atormentados, experimentaron vituperios, azotes, prisiones y cárceles, fueron apedreados, puestos a prueba y muertos a filo de espada y no recibieron lo prometido.Sin embargo, la Biblia los considera Héroes de la Fe.

Esa, mi querido lector, es la otra cara de la victoria.

Oro con todo mi corazón para que este testimonio lo pueda motivar a usted a servir a Dios sin importar las circunstancias, porque El puede tornar la más terrible experiencia en la más brillante victoria. Después de todo, ese lado doloroso de la victoria fue el que nuestro maestro y Señor experimentó en la cruz, con los resultados gloriosos que por generaciones ahora disfrutamos todos los que estamos sellados con su Espíritu y trabajamos bajo Su autoridad.

Pastor Carlos Peñaloza
Ekklesia USA

CAPITULO 1

POR LA PUERTA del Milagro

"...porque muchos son llamados, mas pocos escogidos"
Mateo 20: 16b

Ante el aplauso de padres, amigos y otras veinte mil personas, unos cuantos jóvenes atletas de 15 años que participaban del partido final del Campeonato Paceño de la División de Fútbol Juvenil de Cuartas, daban la vuelta olímpica portando el trofeo que se otorgaba a los campeones. Habían luchado durante varios meses, preparándose como verdaderos atletas para llegar a aquel día en el estadio Hernando Siles de la ciudad de La Paz, Bolivia.

Era la emoción más grande sentida hasta ese día, especialmente para uno de ellos: Carlos Peñaloza. Carlos lograba el primer paso para ver plasmado en realidad su sueño de convertirse en jugador profesional: ver los estadios llenos de personas sintiendo la misma pasión, aplaudiendo hasta sentirse parte de los jugadores... ese era, precisamente, su mayor anhelo.

Sin embargo, en su vida se presentarían dos líneas: una, el deseo de su corazón y la otra, dibujada por el deseo profético de su padre que estaba inspirado desde el cielo.

"Yo quisiera que sea algo de Dios"

Recordó las palabras de sus padres, cuando le contaron de aquel día en que bajaban lentamente por una de las calles empedradas de la ciudad de La Paz, Bolivia, para dirigirse al centro médico, donde se verificaría el estado de aquel primer embarazo.

Otilia, la madre, señalando su abultado vientre, dijo:

- *Quisiera que mi hijo fuera un profesional exitoso. Un médico, por ejemplo... o un abogado...*-

Luis, el padre, sonriendo, le contestó:

- *No. Yo quisiera que sea algo de Dios.* –

Como el país era eminentemente católico e intolerante respecto a otras creencias religiosas, la madre asumió:

-*¡Ah! ¿Obispo?* -

El padre, que no había escuchado ni una palabra acerca del evangelio, con su calma habitual respondió:

- *No. "Algo de Dios".*

La Revolución

En ese entonces, Bolivia era un país sudamericano, conocido por sus revoluciones que instalaban y deponían Presidentes con una frecuencia pasmosa, que nosotros, siendo niños, veíamos a veces con asombro y otras con naturalidad. Pero aquella época en el año 1972, en que la presencia sobrenatural de Dios se hizo evidente, empezó la mayor y mejor revolución que pudimos vivir.

Multitudes de personas se reunían a oír las palabras de un joven de 19 años de edad: Julio César Ruibal [1]. Él había escuchado

---

1 Julio César Ruibal: Nacido en La Paz, Bolivia, donde estableció una de las iglesias cristianas mas grandes. fue llamado por la prensa "el Apostol de los Andes". Posteriormente se trasladó a Cali, Colombia, donde fundó Ekklesía Colombia. Autor de "Ungido para la Cosecha del Tiempo Final". Fue asesinado en Cali, Colombia, en 1995.

de un Dios poderoso y maravilloso y había decidido entregarle su vida un año antes en los Estados Unidos, bajo el ministerio de Kathryn Kulhman[2], quien estaba siendo usada como un instrumento poderoso en la predicación del evangelio, con señales y prodigios como los que cuenta el libro de los Hechos.

Sin ninguna organización o respaldo económico, Julio César había creído el mensaje que Dios le dio en una reunión de Kathryn Kulhman: ***"Vuelve a tu país, y verás que yo hago las mismas señales por medio de ti, verás los estadios llenos, y muchos milagros y sanidades sucederán por medio de lo que yo haga a través de ti".***

Ruibal se había trasladado a los Estados Unidos con el propósito de estudiar medicina. Su intempestivo retorno a La Paz, Bolivia, fue una sorpresa para su padre, Don César Ruibal, quien no podía comprender el motivo de su conversión y nueva actividad.

"¡¡¿¿Predicador del Evangelio!!??..."

El mensaje de Cristo trajo división en la familia, situación que era comprensible, puesto que en nuestro país ninguna familia decente consideraría siquiera la posibilidad de que uno de sus miembros se hiciera predicador del evangelio. Sencillamente estaba fuera de toda consideración. Cuando se hablaba del evangelio lo que venía a la mente eran dos grupos: El primero, formado por misioneros americanos o europeos, a los que las personas de mi país consideraban gente buena pero ilógica, porque nadie en su sano juicio abandonaría sus comodidades para ir a pueblos lejanos a hablar de un Dios que no se puede ver.. El segundo grupo estaba formado por la gente del campo, considerada poco educada y sin capacidad de razonamiento, y por lo tanto susceptible de ser influenciada y adoctrinada. La

---

2 Kathryn Kulhman: Llamada "Sanadora de la fe". Nacida en Concordia, Missouri, en 1907. Empezó a predicar a los 16 años y viajó por todo el país realizando cruzadas evangélicas y de sanidad. Dirigió un programa por TV y escribió "Creo en Milagros" y "Nunca es Tarde". Falleció en 1976 después de haber sido operada del corazón.

gente de la ciudad, educada y formada en la religión oficial no podía formar parte de ninguno de estos dos círculos.

Ante esta situación, Don César "invitó" a Julio a marcharse de su casa. Julio tuvo que pedir cobijo en el hogar de un amigo. Desde allí predicó el mensaje de Cristo. La frase distintiva que otorgó un sello especial al movimiento fue:

"Jesús te Ama"

Fue necesaria una visita directa de Dios para poder romper esquemas que habían estado establecidos por siglos de dominio de la religión oficial en nuestro país.

Dios tiene maneras que ni nos imaginamos para lograr sus objetivos y propósitos.

Julio César Ruibal había logrado formar un grupo muy grande de seguidores y siendo aceptado por algunas iglesias, predicaba su mensaje respaldado por un poder para obrar milagros que era por demás evidente y extraordinario. En ese tiempo sucedió algo que dio lugar a la explosión del evangelio en Bolivia: Un funcionario del gobierno tuvo un accidente grave en el que quedó paralítico. ¡Debía utilizar una silla de ruedas el resto de su vida!... Una persona de su círculo de confianza había sido testigo de los milagros en una de las reuniones de Julio, por lo que sugirió que se le invitase a orar por el enfermo.

Cuando Julio llegó al lugar, la habitación del funcionario estaba atestada de médicos, enfermeras, amigos y familia del accidentado. Se sentía un ambiente de curiosidad, escepticismo, y quizás fe. Julio predicó su mensaje sencillo: *"Jesús te ama"* y luego oró por el enfermo.

Un calor intenso llenó el lugar. El enfermo se sacudía, sus huesos crujían. Todo el mundo transpiraba. Julio terminó su oración y se fue. A los tres días el hombre salió caminando totalmente recuperado. Este fue un milagro muy poderoso y se hizo evidente aun en las esferas más altas de poder, tanto que el entonces Presidente de la República, General Hugo Banzer Suárez, quiso conocer al muchacho autor de semejante prodígio. Pocos días después, Julio Cesar Ruibal se hallaba sentado en la oficina principal del Palacio de Gobierno, frente al Presidente de la República de Bolivia, testificando del poder de Dios y dando razón del milagro que había sucedido con aquel funcionario. Al finalizar la reunión, el Presidente le preguntó de qué modo podría ayudar. Julio, sin temor ni duda respondió:

"Tres cosas Señor Presidente. Primero: Que me dé autorización para usar todos los estadios de fútbol del país para predicar este mensaje. Segundo: Que la radio y televisión del estado transmitan esos mensajes y Tercero: Un avión que me lleve de ciudad a ciudad".

El Presidente, con una amplia sonrisa, instruyó a su secretaria para que redactara una carta autorizando las peticiones.

Pastor Julio César Ruibal en una de las campañas.

Julio era un joven que pasaba hasta siete u ocho horas del día en oración y tenía una comunión tan íntima con Dios que era guiado por Él hasta en los detalles más pequeños de la vida diaria. Después de este notorio milagro recibió la instrucción de Dios para iniciar las campañas en el estadio de fútbol de la ciudad de La Paz. Allí comenzó un avivamiento sin precedentes en Bolivia. Miles de personas eran sanadas de las enfermedades más terribles.

En el campo del Estadio de aquella ciudad, quedaban abandonados incontables aparatos ortopédicos, muletas, sillas de ruedas, zapatos de sobre medida, etc. Cientos de personas se levantaban con sus propias fuerzas luego de ser sanadas por el poder de Dios. La prensa fue testigo de primera mano y documentó muchísimos de esos milagros. Las personas se reunían por millares, hasta el punto en que en la última reunión, dentro el Estadio, se podían contar como 25.000 personas, pero afuera había más de 60.000 tratando de entrar, de modo que Julio César tuvo que subir al techo del Estadio para hablar a la multitud que estaba reunida, convencida de la realidad de un Jesús que está vivo, que sana y restaura. Similares acontecimientos se vivieron en otras ciudades del país como Oruro, Cochabamba, Santa Cruz y luego trascendió las fronteras bolivianas y pasó al Perú, Brasil y Colombia.

"Y estas señales seguirán a los que creen: En mi nombre echarán fuera demonios; hablarán nuevas lenguas; tomarán en las manos serpientes, y si bebieren cosa mortífera, no les hará daño; sobre los enfermos pondrán sus manos, y sanarán"

Marcos 16:17-18

Una Puerta

Todos llegamos a Dios utilizando una puerta para ingresar a su camino: Unos, la puerta del arrepentimiento. Otros, la puerta de una necesidad específica en el campo espiritual, etc. En mi caso, dicha puerta fue el milagro.

Cuando contaba con 17 años, dedicaba la mayor parte

del tiempo a practicar el fútbol, que era mi gran pasión y mi único ídolo. Estaba empezando mis estudios universitarios de ingeniería, pero me sentía totalmente seguro que pronto sería un jugador profesional de fútbol... ¡Una estrella!.

Un 20 de Julio de 1973 finalizando un entrenamiento, sentí que un resfrío se apoderaba de mi cuerpo. Lo único que deseaba era llegar a mi casa y descansar, pero en lugar de ello, me dirigí a casa de unos tíos, que estaban preparándose para asistir a una reunión de discípulos de Julio César Ruibal. Mis tíos me convencieron de ir con ellos con el argumento de que podría ser sanado. Al llegar a aquella casa, situada en la calle Rosendo Gutiérrez en el barrio de Sopocachi, vi un pequeño grupo de jóvenes y adolescentes, cantando y siendo movidos por un poder que no podía comprender.

De pronto crucé la mirada con una persona: Eduardo Espinoza. De inmediato quise salir de aquella casa... los recuerdos se agolparon en mi cabeza. Un par de años antes, en mi época de estudiante del colegio "Don Bosco", había visto a aquel muchacho llamando fieramente la atención a su hermanito menor, por lo que salí en defensa del pequeño. No pude golpearlo como era mi deseo pero de ahí en adelante no nos faltaba oportunidad para provocarnos.

Un día, por fin, acordamos aclarar nuestras diferencias como hombres; y nos dirigimos al sector llamado "El Río", que quedaba detrás del colegio. Cada uno de nosotros iba acompañado por sus respectivos grupos. Dos paredes de casas contiguas formaban una "L" , donde nos situamos y los grupos de estudiantes se acomodaron formando un cuadrilátero perfecto. Se habían programado dos peleas. Dos chiquillos de primaria se "trenzaron" a puños hasta que uno de ellos empezó a llorar, el ganador salió triunfante.

Era nuestro turno, empezamos midiendo fuerzas y de pronto escuchamos un grito: - *¡El Sapo!* - todos corrimos de un lado a otro, buscando donde escondernos. El Padre Sabini junto a dos profesores bajaba en busca de los participantes. Me había escondido detrás de una puerta vieja que estaba apoyada sobre una pared. Respiraba asustado y de pronto noté que detrás de mí, otra persona se escondía de la misma manera, cruzamos las miradas y ahí estaba. Nuevamente frente a frente, Eduardo y yo, nos pusimos rápidamente de acuerdo para decir que aquella pelea era solamente un chiste, pero "El Sapo" no nos creyó.

Al día siguiente, delante de todo el colegio, el Director dijo que había habido una corrida de "toros", donde unos "novillos" habían estrenado sus puños. Nos mandaron a la dirección donde debíamos presentarnos con nuestros padres.

Y aquí estábamos nuevamente Eduardo y yo, dos años después, frente a frente, en aquella casa donde una persona haciendo saltar su silla de ruedas y moviendo su cuerpo en manifestación jubilosa me hizo volver a la realidad. Definitivamente no quería estar allí, el sólo ver a Eduardo me hacía sentir mal... pero algo me retuvo. Un muchacho se me aproximó y me preguntó:

- "*¿Has recibido al Espíritu Santo?*"

Le dije: "*...No...*", él me ofreció:

- "*¿Quieres?*" y al aceptarlo, empezó a orar por mí y caí de rodillas. Luego me trasladé a otro sector y otro muchacho puso su mano en mi frente y oró reprendiendo espíritus inmundos. Tosí y empecé a hablar en lenguas. El primer milagro en mi vida se hizo evidente, pero sucedió algo más que no lograba entender, Dios había entrado en mi vida para transformarla y lo hizo de una forma muy inusual.

Obedeciendo a Dios

Se nos conocía como "los diáconos de Ruibal", éramos

jóvenes de 15 a 21 años, vivíamos los milagros que la Biblia mostraba y creíamos literalmente en el mensaje del Nuevo Testamento, no había razón para cuestionarlo, lo que estaba escrito era evidente en nuestra época y en nuestra generación; tampoco teníamos la limitación de reglamentos, ni de líderes que nos impidieran creer con todo el corazón lo que estaba escrito. Sin embargo, lo más impresionante era que nuestra fe no era teoría: Era realidad.

Vivíamos a diario evidenciando el poder de Dios tanto en nuestras vidas como en las personas que se congregaban con nosotros: un Dios de milagros, capaz de hacer las cosas más increíbles, como el caso de una señora a quien los médicos habían desahuciado y por lo tanto, solicitado a sus familiares que la llevaran a su casa, puesto que el olor a podredumbre que despedía su cuerpo incomodaba al resto de los pacientes en el hospital. Sus hijos habían escuchado de las cruzadas de sanidad en el Estadio, así que decidieron llevarla a una de éstas. De todos modos ella no entendería una palabra, porque solamente hablaba aymará, su lengua nativa.

Aquel día, Julio César predicó con unción sobrenatural - como siempre - y anunció que Dios estaba sanando a una persona de cáncer, inmediatamente, la señora se levantó, recogió sus cosas y empezó a caminar por sí misma. ¡El dolor y la enfermedad habían desaparecido! Yo era muy joven, pero tuve la oportunidad de conocerla y ser testigo de su sanidad, ella se convirtió en una de las fieles asistentes de la iglesia.

"...había en mi corazón como un fuego ardiente metido en mis huesos..."

Jeremías. 20: 9

El fútbol pasó a segundo plano. Decidí dejarlo todo y entregarme por completo para servir a Jesucristo con aquel siervo, Julio César Ruibal. Nuestra juventud e inexperiencia jugaron en contra nuestra y cometimos errores que afectaron el avivamiento de Dios e hicieron que la intensidad de la visitación y el poder de Dios disminuyeran. Sin embargo, la nación ya había sido sacudida por este impacto de Dios y en Febrero de 1974 se llevó a cabo la última campaña multitudinaria donde solamente unas cinco mil personas asistieron y aunque los milagros no fueron en la cantidad de las otras veces, se sintió el mismo poder de Dios que había actuado desde un principio. Fue en este ambiente que nació lo que entonces se llamó: "Ekklesía Misión Boliviana".

Predicando en las plazas de La Paz, Bolivia. 1976

Curiosamente más del 90% de los jóvenes seguidores no estaban ya en el grupo. Yo tenía 17 años en esa época y era uno de los más jóvenes y menos experimentados, sin embargo, me convertí en el colaborador más cercano a Julio César Ruibal y en 1977, junto a otros tres hermanos de la iglesia, viajamos para ser entrenados teológicamente en los Estados Unidos, gracias a las becas otorgadas por el pastor Dick Iverson, quien posteriormente se convertiría en la influencia espiritual mas grande de mi vida.

Pastor Dick Iverson (izq.) y Carlos como estudiante en PBC.

Estando por fin en el Portland Bible College (Instituto Bíblico en Portland, Oregon) en los Estados Unidos, una inquietud me asaltó. Llamé a mi pastor y le dije:

- *¿Las clases van a ser en español verdad?* –

- *¿Estás loco? ¡Esto es Estados Unidos! ¡Aquí todo es en inglés!* - Me contestó Julio César con la mayor tranquilidad.

- *¡¿Y ahora como voy a hacer si yo no hablo inglés?!*

- *Vas a tener que pedirle a Dios que te ayude.* -

Obediente, oré a Dios apoderándome de las palabras de Marcos 11:24: ***"Por tanto, os digo que todo lo que pidiereis orando, creed que lo recibiréis, y os vendrá"***

- *Señor, necesito tu ayuda... Me has traído aquí y no podré lograr nada si no domino el idioma inglés. Por favor... ¡Haz algo!* –

Esa semana empezaba un Campamento Familiar de la iglesia. El profeta Ernest Gentile predicaba en idioma inglés.

Emitía frases que no tenían significado para mí. Nuevamente oré a Dios:

- *¡Señor... haz algo!* -

Al día siguiente, en la segunda conferencia, algo ocurrió en mi interior. Empecé a entender algunas palabras. Al tercer día entendí la cuarta parte del mensaje, al cuarto día la mitad, al quinto día no solo entendí sino que memoricé todo el mensaje: **"El A B C del matrimonio"**. Dios había hecho el milagro. Comprendí el idioma inglés en cinco días.

Carlos Peñaloza, 18 años

Una vez iniciadas las clases me concentraba para entender a los maestros, al mes estaba tomando apuntes en idioma inglés, finalmente me convertí en bilingüe.

¿PASTOR? ... ¡PASTOR!

"Y Él mismo constituyó a unos, apóstoles; a otros, profetas; a otros, evangelistas; a otros, pastores y maestros, a fin de perfeccionar a los santos para la obra del ministerio, para la edificación del cuerpo de Cristo"

Efesios 4: 11,12

Durante el tiempo de estudio asistí a un evento profético

en Bible Temple y cuando los integrantes del ministerio profético llegaron, esperaba que Dios me hablara definiendo Su deseo para mi vida; de pronto sentí que una palabra atravesó mi mente y se instaló en mi corazón:

"¡Pastor!".

No era lo que yo quería ser porque pensaba que los pastores no hacían nada, pero al llegar a Bolivia, fui ordenado para el ministerio, llegando a ser el pastor más joven y el primero de nuestra iglesia.

En 1995 Julio César Ruibal fue asesinado en Cali, República de Colombia, sobreviviéndole su esposa y dos preciosas hijas que fueron fruto de un matrimonio que en mi concepto fue muy completo y bendecido. Tuve el honor de presidir en su entierro para despedir su cuerpo y entregarlo a la tierra sabiendo que su espíritu está en la presencia de Dios.

CAPITULO 2

DE UNA CHICA BIEN a una chica de *Bien*

¿O ignoráis que vuestro cuerpo es templo del Espíritu Santo, el cual está en vosotros, el cual tenéis de Dios, y que no sois vuestros? Porque habeis sido comprados por precio; glorificad, pues, a Dios en vuestro cuerpo y en vuestro espíritu, los cuales son de Dios"

1 Corintios 6: 19,20

Sé que cuando Dios te escoge para servirle, también se ocupa de escoger a la persona que compartirá su vida contigo. Así fue con Miriam, mi esposa, quien un par de años después de haberme convertido, también experimentó una transformación profunda en su vida.

Era en todos los sentidos lo que en Bolivia se llama "una chica bien". Hija única y centro de atención de sus padres con quienes vivía, disfrutando de comodidades. A los 20 años estaba estudiando en la Universidad y se había fijado una meta: terminar su carrera y trabajar, para posteriormente proyectarse hasta donde le fuera posible. Le fascinaban las fiestas y tenía varios pretendientes, pero no encontraba razón a la vida y sentía que su corazón estaba vacío, apagado por una soledad y depresión tal, que de tiempo en tiempo la empujaban a desear la muerte.

Trataba de tener experiencias espirituales rezándole a una imagen que decían que producía paz interior o asistiendo a conferencias de un gurú que practicaba meditación trascendental, pero día a día se hundía más en el convencimiento de que su vida no tenía sentido.

Uno de sus compañeros de universidad, Marcelo, quien había sido víctima de una acusación injusta y enviado a la cárcel, apenas recibió el milagro de la libertad, sintió en su corazón que no podía dejar pasar otro día sin llevar a Miriam la libertad espiritual que necesitaba, por lo que al salir de la cárcel, desaliñado y desencajado, se dirigió de inmediato a casa de Miriam con Jorge Villavicencio, un hermano cristiano que se convertiría en un gran apoyo nuestro más adelante.

"En una plaza pública, delante de una banca de piedra, arrodillada, Miriam derramó su corazón ante el Señor"

Jorge habló a Miriam del Señor y ella lo recibió en su corazón, sintiendo que una paz incomparable inundaba su vida. Hasta aquella noche, Miriam había sufrido de insomnio y pasaba noches enteras fumando un cigarrillo tras otro. A partir de aquel día, cada vez que intentaba encender un cigarrillo, empezaba a toser . Nunca más tuvo insomnio ni necesidad de volver a fumar.

Durante tres meses Marcelo y Jorge enseñaron la Palabra de Dios a Miriam, pero a pesar de esta experiencia y como los seres humanos somos seres de costumbres, ella continuaba por el mismo sendero manteniendo su viejo estilo de vida, creyendo que dedicarle a Dios solamente momentos esporádicos era suficiente. Jorge perdió las esperanzas, pero Marcelo la confrontó para que tomara una decisión: Seguir como antes o servir al Señor. La palabra de Dios se incrustó en lo más profundo del corazón de Miriam.

En una plaza pública, delante de una banca de piedra, arrodillada, Miriam derramó su corazón ante el Señor y le entregó su vida de manera genuina.

"Sed sobrios, y velad; porque vuestro adversario el diablo, como león rugiente, anda alrededor buscando a quién devorar"

1 Pedro 5:8

Todo el camino a su casa, Miriam lloró porque sentía una profunda convicción de pecado. Sin embargo, cuando intentaba dormirse, el diablo se le presentó en persona en la habitación, diciéndole:

- *"¡Yo no te voy a dejar, porque tú me perteneces!"*

Ella se estremeció. El enemigo estaba demasiado cerca, amenazador, dispuesto a todo. Ahí aprendió a hacer uso de su fe y llorándole al Señor clamó:

- ***"¡Señor! ¡Sálvame, ayúdame, no dejes que el diablo me tome! ¡Yo quiero pertenecerte a ti, Señor!"***

Luchó y clamó durante horas, y cada momento que pasaba más se convencía de haber tomado la decisión correcta al entregar su vida a Jesús. ¡No daría un paso atrás!

A las cinco de la mañana llegó la victoria. El adversario no pudo más ante la convicción de que esa "chica bien" había decidido seguir a Cristo. Desde ese momento Miriam se sintió completamente diferente. Empezó a asistir disciplinadamente a las reuniones de la iglesia y a dar los primeros pasos en una vida cristiana que se conserva hasta hoy, con una entrega y consagración que ha superado grandes pruebas como mujer, esposa, madre, y ministra de Dios.

En 1976 Miriam ocupaba un importante cargo como Secretaria Ejecutiva en una entidad gubernamental en nuestro país. Un día, el Pastor Ruibal solicitó su colaboración como secretaria en la organización de una campaña que se avecinaba. No necesitaba pensarlo. Pidió tres meses de licencia para hacerse cargo del trabajo administrativo y la organización de la cruzada. Su amor por el servicio al Señor la llevaba a hacer más de lo que se esperaba de ella, por lo que el Pastor Ruibal le propuso quedarse a trabajar permanentemente en la iglesia, invitación que Miriam consideró un gran honor.

"Bienaventurado el que tú escogieres y atrajeres a ti,
para que habite en tus atrios,
seremos saciados del bien de tu casa, de tu santo templo"
Salmos 65:4

Cuando Miriam puso a su jefe en conocimiento de su decisión de renunciar a su puesto, éste - sabiendo que ella recibía un salario muy bueno en la entidad y que el pastor le había aclarado que el salario que recibiría de la iglesia era considerablemente menor - pensó que ella había enloquecido.

– *"¡Por Dios!! ¿Qué te ha hecho este pastor Ruibal? ¡Mira tu futuro! ¡Estás demasiado joven y tienes una carrera exitosa por delante!"* - Pero ella solamente pensaba que amaba a Dios y le serviría el resto de su existencia.

Miriam como Secretaria en Ekklesía Bolivia, 1977

Ya en la iglesia, trabajaba no solamente en labores administrativas, sino espirituales. Formaba parte del coro, dirigía la alabanza, visitaba a los presos en las cárceles y a los enfermos en los hospitales. Fue maestra de niños, consejera de jóvenes y realizó labor evangelística. El pastor la ponía en todas las áreas disponibles en la medida en que fuera necesario. Sin embargo, ella no se definla ministerialmente.

Años después, Dios le mostraría que todo cuanto había aprendido para la obra, había sido parte de su preparación como pastora.

CAPITULO 3

Casaos y Engendrad Hijos e Hijas

"Y procurad la paz de la ciudad a la cual os hice transportar, y rogad por ella a Jehová; porque en su paz tendréis vosotros paz"

Jeremías. 29: 6 - 7

A partir de 1973 empecé a trabajar en la obra y cuatro años después, Miriam se unió al grupo de trabajo en las oficinas de nuestra iglesia.

Una vez ordenado como Pastor, el trabajo y la preparación de actividades propias de la iglesia, provocaron un acercamiento entre nosotros y en poco tiempo nació en mí un sentimiento especial hacia ella.

Meses después, Miriam se fue a Colombia para trabajar con el pastor Ruibal y no nos vimos ni escribimos durante un año. Pasado ese periodo tuve la oportunidad de ir a Colombia y al volverla a ver, sentí que en nuestros corazones no habían variado nuestros sentimientos.

Le hice finalmente una propuesta formal de matrimonio. Le pregunté:

-*"¿Quieres casarte conmigo?"*-.

Con tan inesperada pregunta provoqué que Miriam ayunara y orara durante una semana para darme la respuesta.

Habló con Dios de esta manera:

- *"Señor, si es tu voluntad que me case con Carlos, quiero que me lo confirmes claramente. Quiero que me digas específicamente: "¡Cásate!".*

Ella quería hacer la voluntad de Dios, había tomado la decisión de moverse completamente de acuerdo a El.

El día señalado, Miriam volvió a decirle al Padre:

- *"¡Necesito una palabra concreta!"* - y al abrir su Biblia, Dios la llevó al versículo 6 del capítulo 29 de Jeremías:

"Casaos, y engendrad hijos e hijas..."

¡El matrimonio estaba confirmado!... Sin embargo, en ese mismo capítulo, Dios le mostró que en algún momento, Él nos haría volver a nuestra tierra:

"...y os haré volver al lugar de donde os hice llevar"

Jeremías 29: 14 b

Nos comprometimos en el mes de Febrero de 1983 e hicimos los preparativos y planes durante dos meses. El 7 de Mayo del mismo año, llegamos al altar.

Nuestros recursos eran muy limitados pero el amor de nuestros hermanos nos permitió disfrutar de una hermosa aunque sencilla ceremonia con la presencia de casi toda la congregación en Cali.

Las palabras finales del Pastor Ruibal: ***"Para bien o para mal, en salud o enfermedad, hasta que la muerte los separe"*** sellaron nuestros destinos.

Luego de la boda, una alegre caravana paseó por la ciudad junto a los flamantes esposos. Disfrutamos este tiempo intensamente; nunca hubiéramos imaginado que habríamos de empezar una vida nueva a semejante distancia de nuestro hogar paterno. Tampoco hubiéramos imaginado que este era el principio de un camino dificultoso que nos llevaría paso a paso a conocer la otra cara de la victoria.

Carlos y Miriam, el día de su boda. Cali, Colombia. 1983

CAPITULO 4

¡AY DEL QUE PLEITÉA con su Hacedor!

¡El tiesto con los tiestos de la tierra! Dirá el barro al que lo labra: ¿Qué haces?; o tu obra: ¿No tiene manos?"

Isaías 45: 9

Varios años viviendo en Colombia nos habían hecho amar esta nación, sin embargo, la situación en Ekklesía Colombia se había tornado insostenible. Todo cuanto acontecía en la Congregación debía pasar primero por la consideración del pastor y aun cosas de incumbencia personal debían recibir su aprobación. Surgieron divergencias entre nosotros debido a sus lineamientos rígidos y legalistas.

¡Una Gran Responsabilidad en Camino!

Tres meses después de nuestro matrimonio recibimos la maravillosa noticia de que íbamos a ser padres y debido a que nuestros ingresos apenas alcanzaban para cubrir el costo de la renta del lugar donde vivíamos, tuve que buscar otro trabajo para sostener a mi familia. Dios cubría las demás necesidades con la ayuda de varias hermanas que generosamente nos brindaban lo que estaba a su alcance. Poco después conseguí un trabajo de tiempo parcial como profesor en un instituto de enseñanza del idioma inglés. Tenía que proporcionar a mi esposa una buena alimentación para el desarrollo

"¿Qué significa esto? ¿Justo en el momento en que mi esposa está dando a luz?"

de esa criatura que Dios estaba poniendo en nuestras manos, para así cuidarle, amarle y formarle hasta convertirle en alguien dispuesto a servir a Dios. En quince días, con cuatro horas diarias de trabajo, recibíamos el ingreso que en la iglesia se obtenía en un mes.

Miriam dejó de trabajar en la iglesia porque el Señor le dijo que lo hiciera. Él quería llevarla a una nueva dimensión de fe y mostrarle que yo podría cubrir todas las necesidades de nuestro hogar.

En vista de nuestras divergencias, el pastor Ruibal nos llamó a una reunión donde nos invitó a salir de la iglesia, aclarando que no había posibilidad alguna de continuar nuestra relación con las iglesias Ekklesía Colombia o Bolivia. Salimos en paz. Pocos días después nos solicitaron los muebles y enseres que pertenecían a la iglesia y finalmente el contrato del departamento en el que habitábamos fue cancelado. Empezamos una nueva congregación y trabajamos arduamente para formar la "Comunidad de Amor", que había crecido rápidamente.

Posteriormente, el pastor Jorge Villavicencio se hizo cargo de la iglesia, llevándola a tal nivel que - al momento de comenzar a escribir este testimonio - la membresía alcanza a 14.000 personas.

José Esteban Ve La Luz

El anhelo del corazón de Miriam era tener muchos hijos que conformaran una familia grande y feliz. Yo vengo de una familia de cuatro hermanos y una hermana, así que cuando estaba soltero pedía a Dios que si un día me daba la bendición de ser padre de familia, me diera una hija. Por alguna razón la idea de tener una niña me hacía sentir muy feliz.

El sistema de salud público en Cali estaba organizado de modo que las mujeres que dieran a luz de manera natural, eran llevadas a centros donde la asistencia era únicamente la necesaria.

En caso de existir alguna emergencia debían ser transferidas a un centro hospitalario.

Los días previos al alumbramiento, Miriam se había sentido tranquila. Aquel 17 de mayo de 1984 era un día muy bonito y estabamos confiados en que todo saldría bien. pero las cosas se complicaron y fue trasladada en ambulancia al hospital universitario.

Mientras yo esperaba en el pasillo, sucedió algo que me produjo una sensación muy especial: el cielo se nubló repentinamente y se desató una tormenta tan fuerte, que me hizo pensar y preguntarle al Señor:

- *"¿Qué significa esto? ¿Justo en el momento en que mi esposa está dando a luz?"* -

No recibí respuesta alguna y continué esperando, hasta que algunos minutos después salió la enfermera para indicarme que había nacido un muchachito precioso que tenía una quijada muy bonita. En mi corazón sentí una desilusión momentánea, algo como "ni modo", porque lo que yo realmente esperaba era una niña.

Miriam salió en una camilla con el niño recostado entre sus piernas; se veía cansada pero feliz. Era la orgullosa madre de un varoncito que era el anhelo de su corazón. Observé a mi hijo y me sorprendió su prominente nariz y su quijada, que no fueron de mi agrado. Más tarde, al ver mi imagen en un espejo, comprendí de dónde había heredado esos "prominentes" rasgos mi hermoso hijo.

Llegamos a casa felices, pero un quebranto en la salud del bebé nos obligó a internarlo: tenía la bilirrubina alta y tuvieron que hacerle un tratamiento de fototerapia. Esta sería la primera de incontables visitas a médicos y hospitales, que vendrían a ser parte del proceso para el que Dios nos había escogido: Construir en nosotros un testimonio en medio del sufrimiento.

"...y os haré volver al lugar de donde os hice llevar"
Jeremías 29: 14b

Al igual que la vida de muchos ministros, la nuestra estaba muy ligada a la iglesia, y a medida que José Esteban crecía, también lo hacía la obra, y con ello nuestras expectativas de hacer una vida nueva como familia. Contábamos con algunos hermanos que trabajaban con nosotros, pero, como dice la Biblia, Sus caminos son diferentes a los nuestros y cuando nuestros pensamientos estaban puestos en la obra en Colombia, el Espíritu Santo habló claramente a mi corazón indicándome que volviera a Bolivia. Me dijo que mis ovejas me esperaban. Yo respondí:

- *"No tengo ovejas allí"* - Porque en el acuerdo de separación con Julio César Ruibal, se había establecido que yo quedaba separado por completo de la iglesia en Bolivia.

¿Retornar a nuestro país de angostas callejuelas empedradas, donde no gozábamos de estabilidad política ni económica?, ¿Volver a vivir en la fría hoyada paceña, en ese pueblo construido en el cuenco de un volcán, bajo el Illimani, aquel majestuoso nevado que vigilaba la ciudad de La Paz? ¡Imposible!. La insistencia del Espíritu Santo era tal, que llegué al punto de orar así:

-*"Entiendo que es tu voluntad que regrese a Bolivia, pero no tengo intenciones de hacerlo, no tengo nada allí, de modo que si quieres que lo haga, tendrás que echarme de aquí"*.

Semejante desafío a un Dios por demás comprensivo y amoroso, dio su fruto. Alguien me había denunciado a migración. Siendo poseedor de una visa de estudiante no estaba en condiciones de realizar ningún trabajo pagado, pero mi terquedad se había cimentado en razones sentimentales y me había asegurado de que Miriam estuviera de acuerdo conmigo. Queríamos quedarnos en

Colombia por muchas razones: Allí nos habíamos casado y allí había nacido nuestro primer hijo.

Aprobé el examen para trabajar en otro instituto como profesor y esto me permitió presentar toda la documentación necesaria para continuar viviendo en Colombia. Me presenté en las oficinas de migración con todos los requisitos válidos; sin embargo, el Jefe de Migración respondió:

- *"No le doy un día más para quedarse en este país. ¡Si se queda, lo vamos a deportar y no podrá volver a entrar!"*.

Ni siquiera la explicación de que mi hijo era colombiano logró ablandar su corazón.

- *"El bebé se puede quedar"* - Me dijo – *"¡Pero usted se va!"*.

Miriam salió de la ciudad de Cali con el niño y viajó en avión hasta la frontera de Colombia con el Ecuador. Yo viajé por tierra durante toda la noche, cargando nuestras trece maletas. Sentía la mano de Dios en mi espalda, echándome de Colombia, respondiendo a mi desafío.

Al encontrarnos en la frontera, Miriam tenía que haber continuado hasta La Paz, pero el viaje con el bebé había sido tan dificultoso que decidió continuar el viaje conmigo por tierra pasara lo que pasara. Así lo hicimos, e iniciamos el recorrido rumbo a nuestro país.

Nuestro hijo disfrutaba de cada instante, porque pasaba en brazos de su papá y luego en los de su mami. Estábamos en la carretera casi 12 horas al día para poder descansar en algún hotel en el camino. El dinero que llevabamos fue suficiente. Miriam, José y yo, disfrutamos un tiempo como familia durante el viaje.

Nuestro objetivo era llegar a Bolivia, terminar nuestros estudios universitarios, vivir nuestra vida como profesionales y ser asistentes en alguna iglesia, pero Dios es Dios, y aunque nosotros erramos como seres humanos, Él se encarga de manejar las crisis llevándonos amorosamente hacia la restauración. Habíamos aprendido cosas buenas de nuestro Pastor: fuimos entrenados para reconocer la voz de Dios y para ser sensibles a su guía.

CAPITULO 5

ACONTECERÁ que si oyeres Atentamente

"...la voz de Jehová tu Dios, para guardar y poner por obra todos sus mandamientos que yo te prescribo hoy, también Jehová tu Dios te exaltará sobre todas las naciones de la tierra. Y vendrán sobre ti todas estas bendiciones, y te alcanzarán, si oyeres la voz de Jehová tu Dios"

Deuteronomio 28:1-2

Con sentimientos encontrados transitamos esos doce días en la carretera, cruzando por diversas ciudades de Ecuador y Peru, y finalmente llegando a Bolivia. Nuestro país se encontraba en uno de los peores momentos de su economía, sufriendo una devaluación del 24.000% anual, lo que desató una hiperinflación que produjo muchos cambios en la vida política y social.

"Cuando llegues, no comiences una nueva iglesia"

Estando ya cerca de Bolivia, la voz de Dios una vez más habló a mi corazón diciendo:

- ***"Cuando llegues, no comiences una nueva iglesia, busca un trabajo y dedícate a tu familia".***

Me sentía humillado por la forma en que Dios me había sacado de Colombia, por lo que sencillamente obedecí.

"Aquel a quien Jehová amó ejecutará su voluntad...
Yo, yo hablé, y le llamé y le traje;
por tanto, será prosperado su camino"

Isaías 48:14b

Realmente Él ya había dispuesto todas las cosas para nosotros. Dos días antes a nuestra llegada, una amiga llamó a mi madre para preguntarle por mí, diciendo que tenía un ofrecimiento laboral. La busqué tan pronto como pude y dos días más tarde me encontraba trabajando en las oficinas de Visión Mundial.

Nuevamente Ekklesía

El Señor hace las cosas y define nuestros pasos. Nos había llamado, escogido y preparado para su obra. Mientras trabajaba en Visión Mundial, un día se presentó uno de los miembros del liderazgo de Ekklesía para invitarme a una reunión. Querían escuchar nuestra versión del motivo que nos había traído de retorno a nuestro país. Oramos sobre este propósito y Miriam y yo estuvimos de acuerdo. Haríamos lo que el Señor nos indicara.

Llegamos a una Congregación dividida y mermada por las reglas dictatoriales y el marco de legalismo impuesto. Se trataba de apenas 150 miembros y no todos estaban muy contentos con nuestra presencia, así que el Espíritu Santo nos guió a esperar un año y medio para volver a predicar, tiempo durante el cual Dios nos hizo pasar por un periodo difícil hasta alcanzar la autoridad necesaria para administrar lo que vendría junto a Alberto y Silvia Salcedo, con quienes formaríamos el equipo de pastores de Ekklesia.

"El pequeño vendrá a ser mil,
el menor, un pueblo fuerte.
Yo Jehová, a su tiempo haré que esto sea cumplido pronto"

Isaías 60:22

Empezamos a vivir una nueva dimensión de crecimiento. Teníamos servicios de sanidades y milagros y siendo ya 300 miembros, la voz del Señor me dijo que íbamos a ser 5.000. Lo proclamamos llenos de convencimiento:

- "*¿¿Cuántos somos??...*" preguntábamos, y la multitud respondía a una sola voz:

- ***"¡Cinco Mil!".***

Convencidos que era Dios el que nos hablaba, decidimos dar un paso de fe: Comprar un teatro para poder reunirnos. Hasta esa fecha los bancos nunca habían prestado dinero a una Congregación y tuvimos que pasar por muchas dificultades para lograrlo. Cuando finalmente obtuvimos el préstamo, fue Dios mismo quien me dio el nombre para ese auditorio: ***"La Casa de la Casa".***

Finalmente, Dios nos abrió los medios de comunicación y pudimos obtener una estación de radio. Miles de personas tuvieron la oportunidad de escuchar las prédicas y las alabanzas y en corto tiempo Dios abrió las puertas para darnos otro medio de comunicación masivo. Conseguimos un canal de televisión mediante T.B.N. (Trinity Broadcasting Network) y pudimos llegar a los hogares bolivianos.

Sin duda Dios estaba cumpliendo su promesa; diariamente nos decíamos: "*Ha valido la pena todo cuanto hemos vivido*".

"...afligiéndote y probándote, para a la postre hacerte bien"
Deuteronomio 8:16b

Nuestro hijo Josecito, como le llamábamos, era un niño feliz; todos en la familia lo querían y se convirtió en el nieto favorito de su abuelo materno. Tenía seis meses y desarrolló cierto tipo de alergia a la leche materna por lo que tuvo que alimentarse con leche de soya. Esto no era nada del otro mundo.

Cuando llegó el momento en que aprendiera a caminar, notamos que le costaba mantener su balance y tenía un problema de babeo continuo, que atribuíamos al brote de sus dientecitos, pero al cumplir un año su médico no encontraba la razón del problema y nos dijo que deberíamos esperar que creciera.

En 1986 José Esteban tenía casi dos años de edad, cuando fuimos bendecidos nuevamente con otro miembro en la familia. El 20 de Febrero recibimos un gran regalo del cielo: nuestra hija Carla Gabriela. Dios me concedía el deseo que siempre había tenido de ser padre de una niña. La felicidad inundó nuestras vidas. Ahora estábamos completos, éramos un matrimonio estable con un ministerio floreciente y un par de hijos que llenaban nuestros corazones. ¿Qué más podía pedirle a Dios?

Lo que yo no sabía era que con la llegada de Carla se venían también experiencias que afectarían nuestras vidas, fe y caminar en Dios. Pruebas que no habríamos podido soportar apoyándonos exclusivamente en nuestras fuerzas. Sin duda el poder sobrenatural de Dios nos sostuvo para salir victoriosos de todo lo que nos vendría mas tarde.

CAPITULO 6

CARLA la ofrenda del Sacrificio

Las cosas extraordinarias que Dios estaba haciendo con Ekklesía hacían que la iglesia estuviera llena del Espíritu Santo. ***"La Casa de la Casa"*** era un lugar en el que todos podían ser testigos de las cosas extraordinarias realizadas mediante el poder de Dios y era evidente que Dios nos estaba acompañando, pero a la puerta estaba una de las más grandes pruebas que Miriam y yo tendríamos que vivir a nivel individual y como pareja.

"Dejad a los niños venir a mí, y no se lo impidáis; porque de los tales es el reino de los cielos"

Mateo 1:14

Apenas el médico me dijo que era una niña, mi corazón sintió una profunda alegría y al verla, mi alma quedó pegada a la de mi hija. Tan pronto nació, amé a esa criatura como a nada ni nadie en el mundo; por alguna razón cuando soñaba tener hijos, tenía un deseo enorme de tener una niña y Carlita era la materialización de ese sueño. Me apegué a ella de tal modo que, después de Dios, mi vida empezó a girar en torno a ella. Mis entradas, mis salidas, mis deseos, mis aspiraciones, mis esfuerzos, además de entregarlos a la obra que el Señor me había encargado, apuntaban sólo a cuidar, mimar, amar y proteger a mi niña.

Me entregué por completo a esforzarme para que ella fuera, desde sus primeros meses, una persona sana, educada y sensible a la voz de Dios.

Carla cautivó mi corazón tan profundamente que estaba dispuesto a hacer lo imposible para lograr que su vida sea plena. Ella era la respuesta a la oración que le había hecho a Dios en cuanto a mi deseo de ser el padre de una niña, porque tan pronto vino al mundo despertó en mí los sentimientos más puros y hermosos.

Aunque ya tenía un hijo al cual amaba también, me sentí realizado como padre cuando Carla llegó a nuestras vidas. Apenas la tomé en mis brazos, cuidé de ella tratándola con la ternura más grande. Yo mismo cambiaba sus ropitas, la bañaba y le brindaba todos los cuidados que requería. Desde sus primeros meses, yo ya había construido su futuro.

"Amé a esa criatura como a nada ni nadie en el mundo"

Planeaba criarla para que sirviera fielmente al Señor, pensaba que al ir creciendo mi hija tendría una voz tan hermosa como la de su madre y cantaría para el Señor. Obviamente pensaba que en algún momento alguien intentaría hacerme su suegro, pero los requisitos para aceptar a alguien en esa condición eran más o menos los siguientes: Tendría que ser una persona tan consagrada y ungida por el mismísimo Dios, que además de haber plantado un mínimo de 20 iglesias, tendría que haber resucitado una docena de muertos. En pocas palabras decía: "*¡Ay del que ose poner sus ojos en mi hija!*". Ella tenía escasos meses de existencia y yo ya tenía planificada su vida entera. Mi oración a Dios cuando pensaba en ella era algo así como:

- "*Dios, gracias por haberme dado la niña más hermosa que un hombre podría tener como hija, no sé qué le diste o qué le hiciste pero es el ser más precioso que jamás haya yo conocido; ayúdame a ser un proveedor eficiente, de modo que nunca le falte nada; perdóname que la ame más que a nadie en mi vida, ayúdame a no idolatrarla y colocarla sobre ti, y dame las fuerzas para criarla para ti".*

Sería capaz de vivir cualquier situación difícil, pero si mi hija estaba bien, nada importaba. Podrían echarme de la iglesia, pero si tenía a mi hija conmigo, no importaba. Ella era el centro de mi atención, la motivación de mi vida y la causa de mi alabanza a Dios. Nunca había sentido un amor tan intenso por ninguna persona y ella era el más perfecto regalo que Dios podía haberme dado.

No había nada que yo quisiera en la vida excepto el estar cerca de mi amada hija. Amaba a mi esposa y a José, mi primogénito, pero necesitaba hacer claros esfuerzos para no desequilibrar mi familia y mi relación con ellos, porque Carla no necesitaba hacer nada para que yo la amase: simplemente su existencia consumía mi atención.

Doy gracias a Dios por mi esposa por haber sido tan paciente conmigo; por haberse ocupado de quien ella amaba muchísimo, además de mí: nuestro hijo José. Miriam tuvo que asumir su rol de madre y esposa, y corregir y educar a nuestra hija que mostraba que tendría un carácter fuerte, muy diferente al de su hermano mayor, quien por el contrario, era dócil y tierno.

A raíz del nacimiento de Carla, Miriam tuvo que dedicarle tiempo extra a los compromisos familiares y reducir sus labores ministeriales. Los dos niños demandaron su presencia cada vez más, principalmente cuando fueron surgiendo las dificultades suscitadas por una deficiencia genética que nos golpearía a todos de manera implacable.

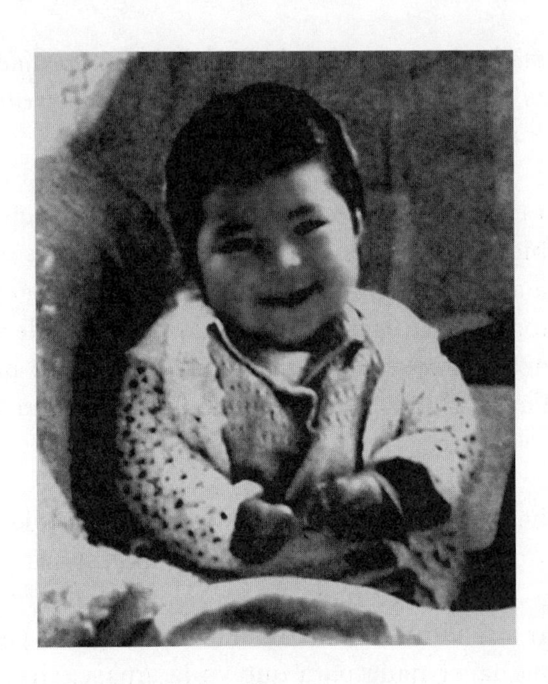

Carlita a los 6 meses

"Sanad enfermos, limpiad leprosos, resucitad muertos, echad fuera demonios; de gracia recibisteis, dad de gracia"
Mateo 10: 8

Carla empezó a crecer junto con la iglesia. La unción del Espíritu no dejaba de mostrarse en el ministerio y cada vez nos convencíamos más de que habíamos entrado en un "periodo de gracia" que rompería todos los esquemas conocidos hasta esos días.

Miles de personas con solamente entrar en el edificio donde estaba situada la iglesia, eran impactadas por la presencia de Dios y sus lágrimas eran evidencia inmediata de su sentir.

Cuando orábamos por personas afectadas por enfermedades, estas sanaban, el cáncer desaparecía de los cuerpos y gente con enfermedades incurables del cerebro, en los riñones, el hígado, etc; era restablecida de inmediato; no importaba el padecimiento o el tiempo que hubieran estado lidiando con estas enfermedades, simplemente pedíamos a Dios que interviniera y la unción de sanidad descendía operando el milagro.

Ekklesía Bolivia – "La Casa de la Casa"

Lo que Dios nos había dado, lo compartíamos con todo aquel que llegaba necesitando un milagro emocional, espiritual o físico. El Espíritu Santo nos visitaba en cada reunión con su poder de manera extraordinaria. Ministerialmente alcancé el punto de reconocimiento y respeto al que todo pastor anhela llegar.

La Profecía

Como sucede con todos los ministerios crecientes, Dios envía otras personas ungidas por Él mismo que pueden fortalecer y ayudar en su establecimiento, y eso también sucedió con nosotros. Un día recibimos la visita de dos hermanas del Brasil. Una de ellas tenía un don poco habitual: Esta mujer leía una porción de las Escrituras, la que el Señor le mostrara, y de acuerdo al texto, recibía revelación de la vida de las personas. Mientras orábamos con ella y otros líderes, me dijo:

-"Hermano, Dios me ha dado una palabra para usted, ¿puedo darsela?".

Esto era incomodo para mí, porque para entonces había conocido a muchos falsos profetas que con el afán de lograr la atención, captar recursos o simplemente ocupar el púlpito, se aventuraban a ofrecer profecías que simplemente carecían de sustento bíblico y de respaldo de Dios. Con todo esto en mente, la escuché con reservas.

Ella me dijo: - *"Sí hermano, el Señor también me dijo que usted no me iba a aceptar fácilmente, pero quiero que sepa que con mucho temor de todas maneras le voy a dar el mensaje."* - Leyó un texto en el libro de los Salmos y empezó a decirme lo que Dios tenía para mí. Empezó por cosas generales que yo ya había escuchado varias veces:

- *"Dios lo ama... usted es un siervo de Dios..."* pero luego continuó con algunos detalles que empezaron a llamar mi atención: - *"Dios me revela que usted ha sufrido bastante y le han hecho mucho daño, y que usted le pidió a Dios que lo vengara, pero eso no es asunto suyo. Dios juzgará en su momento. Usted no pida eso."* - Increíblemente el Señor le había mostrado sentimientos muy ocultos que ni a mi esposa había comentado. Entonces empezó a hablar de situaciones futuras:

- "Veo venir a su vida una prueba muy grande, hay una nube negra sobre usted, esa nube representa algo que lo va a afectar de tal manera que usted llegará a pensar que Dios lo ha abandonado. Pero debe saber que no es así, el Señor se lo está diciendo antes para que cuando esto ocurra, sepa que Él ya se lo mostró. Y dice que Él lo tomará de la mano y lo sacará de la prueba. Él está con usted. La otra cosa que veo es que usted está dando una ofrenda muy, pero muy grande".

Pensé que Dios me prosperaría de tal manera económicamente que daría mucho dinero para su obra. Pero ella me aclaró que no se trataba de dinero. *"Usted le dará a Dios una ofrenda tan grande como su propia vida"*.

El Señor la usó también para decirme que debía advertir al pueblo, indicándole que oraran por los alimentos porque vendría una epidemia a través de la comida que causaría inclusive la muerte, pero que nadie de la iglesia resultaría afectado si obedecían esta instrucción. Creí lo que me dijo al respecto, informé a la Congregación y efectivamente, un par de años más tarde, llegó la epidemia del cólera que entró por el Perú y afectó a otros países de Sudamérica incluyendo a Bolivia.

En ese momento yo no me imaginaba con qué se relacionaba la nube negra que había visto sobre mi vida, y menos aun, cuál sería esa ofrenda tan grande que le entregaría a Dios.

"A ti, oh Jehová, clamaré y al Señor suplicaré"

Salmos 30:5

José Esteban contaba con aproximadamente tres años y medio de edad y Carla uno y medio. Era el año 1988, la iglesia se encontraba en el punto más alto de la visitación del Espíritu y nosotros éramos una familia feliz y bendecida en todos los sentidos.

Un día llegué a casa y encontré que Carla se quejaba de dolor de estómago y una leve diarrea la afectaba. La llevamos al médico quien consideró el malestar como algo común en los niños. Recetó una medicina y la niña no demoró en recuperarse.

Pocos días después fuimos de viaje con los jóvenes de la iglesia, una hermosa experiencia que duró diez días, pero el dolor de estómago y la diarrea volvieron a presentarse. Nuevamente nos dirigimos a su médico quien luego de revisarla ordenó pruebas de laboratorio para encontrar la causa del problema. El malestar fue controlado pero no se encontraron respuestas. Un mes después nuevamente Carla enfermó, pero esta vez el problema fue más intenso y tuvimos que hospitalizarla. Pasaron semanas y no había solución.

Mi esposa tuvo que vivir con las dificultades e incomodidades propias del hospital, como la falta de cuidado de algunas enfermeras y la insensibilidad de algunos médicos. De lunes a viernes, Miriam permanecía en ese lugar, siempre con la esperanza de una recuperación; yo las visitaba varias veces al día. Los días sábados la reemplazaba en el hospital y ella iba a nuestra casa para atender a Josecito quien, al cuidado de su abuelita, sufría la ausencia de su mamá y la de su hermanita.

Durante casi cuatro meses nuestros movimientos se limitaron al círculo casa-iglesia-hospital. Como familia experimentamos una crisis muy fuerte, porque no entendíamos lo que estaba sucediendo con nuestra hija. La iglesia dentro y fuera de Bolivia ya se había enterado de la situación y empezaron a orar por ella pidiendo a Dios un milagro.

Dos meses después tuvieron que trasladar a Carla a la sala de terapia intensiva. Los doctores pedían medicamentos que no se encontraban en nuestro país, pero yo buscaba las maneras de conseguirlos. El pastor Johnny Dueri nos trajo del Perú varios frascos de alimentación parenteral (alimentación proporcionada por vía intravenosa), porque nuestra hija ya no podía alimentarse por la boca. Como él, muchos otros hermanos me ayudaban trayendo medicinas costosas, muchas veces sin cobrar siquiera por ellas. Nosotros intensificamos la búsqueda de Dios en oración y en muchos lugares del planeta se oraba por la hija del pastor que dirigía una mega iglesia en Bolivia. Benny Hinn oró por ella a la distancia, Yiye Ávila oró por ella enviando un paño ungido, así como muchos otros ministros, pero nuestra hija no mejoraba, perdía peso y se debilitó hasta llegar a un estado avanzado de desnutrición. La parte izquierda del cuerpo se le paralizó. Su organismo no respondía a los medicamentos y los doctores no hallaban explicación.

Mi madre, al ver a nuestra hijita paralizada de su lado izquierdo, me dijo: -"*Hijo... ¿qué vas a hacer con ella en esta condición?... La niña está sufriendo mucho y tu esposa también. Tú eres el que la está manteniendo viva por tu amor por ella.... ¿Por qué no la dejas partir? Es demasiado el sufrimiento para ti y para todos en la familia.*"-

Le dije que iba a luchar por ella hasta el último momento, no me importaba si quedaba paralizada, aunque tuviera que levantarla en brazos el resto de mi vida. No solamente amaba su cuerpecito sano, la amaba a ella. Era demasiado preciosa para mí como para dejarla partir. Si hubiera podido dar mi vida por ella, lo habría hecho. Mi madre no pudo soportar tanto sufrimiento y dejó de visitarla en el hospital, porque en una oportunidad, la niña le señaló la puerta, pidiéndole con señas, que la sacara de allí. No podía continuar viendo a su nieta agonizar, a su hijo haciendo lo imposible por mantenerla con vida, y a su nuera batallando a diario con tremenda prueba.

A esta altura habíamos recibido toda clase de opiniones, sugerencias, acusaciones y comentarios acerca del estado de salud de nuestra hija. Algunos se atrevían a decir que estábamos pasando aquella prueba como fruto de alguna maldición o algo similar, o que Dios nos estaba castigando por los problemas que habíamos tenido con nuestro pastor, nosotros simplemente seguíamos adelante.

CAPITULO 7

OTRA Batalla

Relato de Miriam

Debido a constantes diarreas, Carlita fue internada en la sala de re-hidratación del hospital, pero posteriormente nos enviaron a la sala común junto con otros niños que sufrían del mismo problema. Como madre cristiana acompañé a mi hijita segura que Dios la sanaría y todos los días la cuidaba con esperanza y mucho amor.

"No puedo vivir sin Ti y mucho menos morir sin Ti, te amo..."

A los pocos días de haber sido internada nuestra Carlita, llegó otra niña con el mismo problema. Se llamaba Rosita. Era casi de la misma edad de mi hija, pero venía de un orfanato. No tenía padres ni parientes que cuidaran de ella. Esto me causó mucha tristeza y cuando mi hija dormía yo me acercaba a Rosita para hablarle, pero un día una de las enfermeras me llamó severamente la atención. Puesto que el tipo de enfermedades que los pacientes sufrían en esa sala eran altamente contagiosas, yo no podía estar cerca de ninguno de ellos porque afectaría mi salud y podría empeorar la de mi hija. Entonces me limité a mirar a Rosita de lejos y orar por ella. Me mantenía al lado de la cuna de mi hijita las veinticuatro horas del día... pendiente de ella.

Dormía en un pequeño sofá al lado de su cuna y no veía que mejorara a pesar del tratamiento vía intravenosa, que a menudo se infiltraba, obligando a reubicar la aguja en diferentes partes de su cuerpo.

Nuestra hijita empezó a perder peso de tal modo que me recordaba las imágenes de niños desnutridos del África. Lucía su cabecita rapada, todos sus huesitos podían contarse fácilmente a través de su delgada piel y tenía una gran barriga.

Ese día era viernes y los médicos decidieron introducirle sondas por las fosas nasales; también aprovecharon de entrenarme para que después yo misma la alimentara por esa vía, pero al llegar la noche nuestra hijita entró en shock. Su estómago se puso duro como una piedra y no paraba de llorar. Los médicos de planta se habían ido y solamente quedaban los médicos residentes. Cuando los llamé, revisaron a mi hija y me dieron las opiniones más diversas: unos decían que se trataba de un cólico y otros decían que parecía que el intestino se había estrangulado y que necesitaría una intervención inmediata.

Empezaron a llamar al médico cirujano, al pediatra, al anestesista y a todos los que tendrían que asistir en este caso, mientras mi hijita gritaba de dolor. Yo entré en total angustia, no sabía que hacer. Hasta el momento había estado firme, siendo sumamente cuidadosa en cada detalle de su atención. Mi hija no tenía la menor escaldadura o quemadura de piel que todos los niños lucen cuando se trata de diarreas constantes, porque yo me encargaba de bañarla e hidratarla todos los días, pero ni todo mi amor ni mi cuidado podían sacarla del dolor que estaba sufriendo y esto era algo para lo que no estaba preparada.

Finalmente, a las dos horas de llanto y alboroto, los médicos le inyectaron un calmante fuerte y decidieron esperar. Me dijeron que no me garantizaban que Carla viviera.

Ella dejó de llorar, pero en ese momento empezó la crisis de fe más grande que hubiera tenido en mi vida. Empecé a llorar y reclamarle al Señor por qué no curaba a mi hija... "*¿Qué he hecho yo para merecer esto, si desde mi juventud te he servido y me he consagrado por completo para Ti?. Me casé en tu voluntad,* *con palabra de Dios, con confirmación en ayuno y oración, con confirmación de mis pastores. ¿Qué es este castigo que estoy viviendo si yo confío en ti?".*

Solo angustia y desesperación había en mí. "*¡Cuán injusto estás siendo conmigo! Aun Rosita que es huérfana, una niña a quien nadie extraña, que no tiene quien la cuide... hasta ella ha mejorado y están a punto de darle de alta; y a mi hija, amada por sus padres que cuidan de ella, no la sanas.*"

Lloré por horas diciéndole muchas cosas a Dios. Finalmente exploté y le dije:

- "*¡Ya no creo en Ti! ¡Estoy completamente enojada contigo por lo que me estás haciendo! ¡No quiero saber nada de Ti!*".

Cuando terminé de hablar estas palabras, sentí cómo el Espíritu Santo me dejaba y toneladas de peso caían sobre mí. Todo aquello que había sido llevadero hasta ese momento, no lo fue más. La angustia y el dolor hicieron presa de mí, sentí el mismo vacío que tenía cuando no le conocía: ese vacío de muerte espiritual, el vacío de estar separado de Dios.

Ya no había más esperanza. Todo se había terminado y lo único que yo quería era morir. Morir y matar a mi hija para que no siguiera sufriendo. Sólo me venían pensamientos de suicidio. Pensaba en la manera de quitarme la vida y empecé a buscar las cosas que podrían servirme para lograr mi cometido. Entendí por qué mucha gente recurre al suicidio como solución a sus problemas: ya no tienen esperanza y tampoco tienen a Dios y ven la muerte como único remedio, pero lo que no ven en realidad es que cuando mueren empieza una vida separada de Dios por la eternidad, lo que la Biblia llama la segunda muerte, de la cual Jesucristo nos vino a salvar.

Solamente algunas madres estaban durmiendo al lado de sus hijos y yo trataba de ver la forma de ingresar silenciosamente al lugar donde se guardaban los medicamentos para poder tomar algo y terminar con mi vida y la de mi hija. Pasé la noche entera en ese estado. Estaba exhausta, no sabía qué hacer.

De pronto miré la ventana y el cielo empezaba a pintarse de luz. Caí de rodillas y gimiendo delante de Dios reconocí mi tremendo error.

"No puedo vivir sin Ti y mucho menos morir sin Ti. Te amo... te necesito, ¡Perdóname!... Me arrepiento de todo corazón de todas las palabras que te dije. ¡Ten misericordia de mí!"

Estaba en el piso rogándole y llorando. Debió haber transcurrido una hora hasta que sentí claramente que Él me perdonaba y me limpiaba de toda maldad. Se cumplía Su palabra:

"Si confesamos nuestros pecados,
El es fiel y justo para perdonar
nuestros pecados,
y limpiarnos de toda maldad"

1 Juan 1:9

¡Gloria a Dios, porque Su palabra es verdad!

De inmediato sentí al Espíritu Santo descender sobre mí una vez más y le dije: *"Yo voy a servirte el resto de mi vida, aunque no sanes a mi hija. Te amo más que a la vida, más que a nadie en esta vida y acepto tu voluntad cualquiera que ésta fuera, porque tu voluntad es siempre buena."*

Cuando aceptamos la voluntad de Dios, por muy difícil que parezca, Él siempre nos fortalece de una manera sobrenatural.

Entendí de forma mas profunda y real lo que significa amar a Dios por sobre todas las cosas:

"Por lo cual estoy seguro que ni la muerte, ni la vida, ni ángeles,

ni principados, ni potestades, ni lo presente, ni lo por venir, ni lo alto, ni lo profundo, ni ninguna otra cosa creada nos podrá separar del amor de Dios, que es en Cristo Jesús Señor nuestro."

Romanos 8:38-39

Cuando el día aclaró, los médicos vinieron a observar a mi hija y decidieron trasladarla a terapia intensiva, donde viviría por dos meses más bajo rigurosos tratamientos.

Sé que algunas personas se preguntarán: ¿Qué clase de Dios es éste que permite que las personas pasen por momentos así? La respuesta la tendría más adelante, cuando Dios reveló a mi esposo lo que estaba ocurriendo en el plano espiritual. Esta respuesta de Dios fue la que sanó nuestros corazones y nos mantiene hasta ahora firmes en sus caminos, amándolo aun más que antes.

CAPITULO 8

Sed Sobrios y Velad

"...porque vuestro adversario el diablo, como león rugiente, anda alrededor buscando a quien devorar"

1 Pedro 5:8

"Hoy entierro mi corazón contigo"

Miriam había demostrado mucha fortaleza y a pesar de haber pasado algunas noches sin haber descansado, siempre que iba a visitarlas, me recibía con una sonrisa en los labios. Sin embargo, un día en que nuestra hija se encontraba en esa habitación de terapia intensiva, llegué a visitarlas y encontré a ambas muy fatigadas. Miriam tenía un dolor de cabeza muy fuerte y había agotado los límites de su resistencia, por lo que su trato hacia mí fue áspero y Carla no respondió a mi afecto; más bien estaba incontrolable, se movía de un lado a otro y nada podía calmarla. No era la recepción habitual que recibía de parte de ellas. Lo único que pude decirle fue:

"Vamos a orar".

Al estar en medio de la oración, de pronto vi dos siluetas a un costado de la cama de la niña. Estas figuras eran de apariencia humana desde la cabeza hasta la cintura, pero carecían de rostro. De la cintura para abajo eran espirales, como si esa mitad fuera de viento. Una de ellas era de color azul eléctrico y la otra de color rojizo encendido. Supe que se trataba de dos demonios que habían llegado para atormentar y perturbar la tranquilidad de mi esposa y mi hija, así que inmediatamente tomé autoridad en el nombre de Jesús, les ordené que se marcharan y los vi menguarse como si sintieran vergüenza de haber sido descubiertos. Finalmente desaparecieron. Luego de esto dije a mi esposa que prefería marcharme para que ellas descansaran.

Minutos después Miriam me llamó por teléfono para contarme que su dolor de cabeza había desaparecido y la niña se había calmado y dormido plácidamente. Fueron muchas experiencias como ésta las que nos permitieron conocer dimensiones de lucha espiritual que antes no habíamos experimentado.

El Momento De La Partida

Los días fueron pasando sin mejoría alguna. A finales del mes de marzo, Carla entró en otra crisis y se le paralizó todo el lado izquierdo de su cuerpo. Mi esposa sufrió terriblemente; llorando me dijo:

- *"Carlos. ¡ya no doy mas!. Prefiero que Carlita parta con el Señor... ¡No doy más!"*

Entendí pero respondí: "

- *Yo seguiré luchando por ella".*

Me fui al hospital para quedarme con ella. Oraba, clamaba desgarrando mi corazón delante del Señor; leía porciones de la Biblia relacionadas con sanidades, ungía la habitación, ungía su cuerpecito; hacía todo lo que estaba a mi alcance porque mientras la viera respirar no perdería la esperanza.

Días después tuvo otra crisis y los médicos no supieron que más podrían hacer para mantenerla con vida. Lo habían intentado todo sin resultado alguno. Nos dijeron que comenzarían otro tratamiento similar al de los últimos cuatro meses pero sin garantías. Fue allí cuando supe que ya no podríamos continuar de esa manera. Tenerla allí ya no nos ofrecía posibilidad de recuperación por lo que decidimos llevarla a casa. Los médicos accedieron y como en todos los casos similares, nos hicieron firmar un documento donde ellos se libraban de toda responsabilidad. La ciencia había demostrado que nada podría hacer en este caso, solamente un milagro podría cambiar las cosas.

Carlita había cumplido dos años y dos meses de edad y tenía buen apetito. Tratábamos de darle de comer todo lo que quisiera, pero no podía retener lo que comía y lo devolvía a los pocos minutos.

Durante una semana estuvimos con ella, acostándola entre nosotros para darle calor, porque su cuerpecito no podía producir el calor que necesitaba.

La mañana del 6 de Abril despertamos temprano. Al mirar a nuestra hijita, me di cuenta de que había llegado el momento de su partida. Envolví su cuerpecito en una frazada y la tomé en mis brazos. Me fui a la sala del departamento donde vivíamos y hablé con mi Padre Celestial de esta manera:

- "Padre... gracias por estos dos años que me permitiste disfrutar de la criatura más hermosa que jamás haya conocido. Ella va a partir ahora y quiero entregarla en tus manos."

En ese instante sentí la presencia de demonios y pedí a Dios que quitara toda presencia maligna de la casa. De una manera minúscula experimenté algo de lo que Jesús pudo haber sentido cuando daba su vida en la cruz, cuando los cielos se obscurecieron y dijo: ***"¿Padre, porqué me has abandonado?".***

Inmediatamente después de esa sencilla oración sentí un viento que limpió el ambiente y continué mi oración:

- "Señor... tenerla ha sido el regalo más hermoso que haya recibido de ti. Era mi anhelo que viviera por muchos años, pero

claramente no va a ser así, por lo tanto, quiero entregarla en tus manos. Gracias una vez más." Apenas terminé esta oración, en medio de mis lágrimas, mi hija dio un último suspiro y partió con el Señor.

Tomé fuerzas para informar a mi esposa de su partida. Llamamos a nuestros padres, al pastor Alberto Salcedo, que trabajaba conmigo y me ayudó a hacer los trámites necesarios. Decidí que la sepultaríamos el mismo día. Algunos hermanos llegaron para acompañarnos. En horas de la tarde estábamos llevando el cuerpo de mi hijita al cementerio. Puse el pequeño cajón blanco sobre mi regazo en el auto del pastor Salcedo y antes de partir, tomé un papel y escribí esta nota:

"Carlita:
Hoy voy a enterrarte. Hasta hoy has sido lo más precioso que he tenido en mi vida. A partir de ahora, ya no vivo, Sólo existiré. No tengo motivación para seguir viviendo. Nada hay que me interese en la vida. Hoy entierro mi corazón contigo.
Tu papi. "

No hubo carro fúnebre ni flores. Solamente la compañía de la familia y algunos hermanos de la iglesia que se enteraron, hermanos y amigos queridos que nos acompañaron en esos momentos tan difíciles.

Cuando una persona pierde a un padre se le llama "huérfano"; cuando una persona pierde a su pareja se llama "viudo o viuda"... cuando una persona pierde a un hijo o una hija, no existe una manera de llamarlo. Eso no tiene nombre; no es natural, porque se supone que los hijos deberían enterrar a los padres y no viceversa... y aquí estábamos, enterrando a nuestra hija: el tesoro de mi vida. Era el momento más difícil de mi vida. Iba a sepultar lo que más amaba.

Llegamos al cementerio y los hermanos empezaron a cantar alabanzas a nuestro Dios. Cuando los obreros terminaron de colocar la lápida, me permitieron escribir:

"Dejad a los niños venir a mí,
porque de ellos es el reino de los cielos"
Marcos 10:14

Salimos del cementerio sabiendo que empezaba una nueva etapa en nuestra vida como pareja, como familia y como ministros del evangelio. Nos quedaba nuestro hijo mayor, José, que parecía no entender lo que sucedía. No sabía cómo enfrentaríamos los siguientes días, solamente nos quedaba volcarnos a Dios en oración.

"Señor, no entiendo... ¿Qué es lo que ha pasado? Sabes que te amo. He dejado todas las cosas por ti, mis ilusiones, mis sueños y esperanzas te las he entregado para tener todo mi tiempo para Tí. Te he servido desde temprano en mi vida. No te puedo dejar porque no hay Dios aparte de Ti. Te conozco mucho como para dejar el ministerio... pero es muy grande el dolor en mi corazón... lo único que te pido es que cuando consideres que estoy listo, me hagas entender qué es lo que ha sucedido... porque no lo entiendo."

Había perdido el único tesoro que consideraba mío en esta vida; dejé correr las lágrimas por varios minutos. Sólo una pregunta rondaba mi mente: "*¡¿Qué pasó?!*"

CAPITULO 9

NO ESCONDAS de tu siervo tu Rostro

"...Porque estoy angustiado; apresúrate, oyeme"
Salmos. 69:17

¿Por qué?... Esta pregunta se repetía en mi mente una y mil veces sin obtener una respuesta lógica de parte de Dios. Tenía mucha tristeza, pero seguía predicando. El dolor se había clavado en mi corazón, pero seguía esperando una respuesta. El ministerio continuaba creciendo. El Señor me utilizaba como instrumento para que muchas personas fueran sanadas. Delante de mis ojos pasaban personas que eran conmovidas y transformadas por el poder de Dios… y de nuevo me preguntaba: *"¿Por qué no se pudo ver ese milagro con mi hijita?"*.

Dos días después de la partida de Carlita llegó una madre con un niño de la misma edad de mi hija, que estaba siendo atacado por una repentina diarrea, la misma enfermedad que había generado la muerte de Carla. Sentí furia y la descargué contra ese mal. Oré con todas mis fuerzas reprendiendo la enfermedad:

"¡En el nombre de Jesús, seas lo que seas, abandona el cuerpo de este niño!".

Una semana después, la madre del pequeño me llamó emocionada para contarme que su hijito había sido sanado totalmente después de aquella oración y que estaba comiendo todos sus alimentos sin ningún problema. Nuevamente insistí a

Dios con mis preguntas:

"¡Señor... no entiendo! Padre... oré a ti muchas veces por mi hija. Ayuné, convoqué a todos los hermanos en el mundo entero para que intercedieran. Hice muchas cosas para ver a mi hijita sana y sin embargo murió... ahora viene esta mujer con su hijo afectado por el mismo mal. ¡Hago una sola oración y tú lo sanas!... ¡No entiendo!

¡No entiendo Señor! Yo se que tenías el poder para sanar a mi hija y no lo hiciste?, ¿Dónde estaba el Dios de poder que veía obrar en mi iglesia?... Señor... sencillamente... ¡No entiendo! ... ¡Háblame!"

Esta fue mi oración durante un año. Cada vez que me disponía a buscar a Dios para preparar un mensaje, lloraba dos horas primero y luego pasaba a decirle lo mismo de siempre: *"¡No entiendo!"*

"Hubo en tierra de Uz un varón llamado Job y era este hombre perfecto y recto, temeroso de Dios y apartado del mal"

Job 1:1

Después de un larguísimo año fui invitado al Brasil para dar un seminario a líderes de una iglesia en la ciudad de Uberlandia. Estando allá, el pastor de esa iglesia, Harry Scates y yo fuimos invitados a la casa de una señora peruana cuyo esposo había tenido un accidente a causa del cual había sufrido mucho. Estando sentados a la mesa, la hermana hace una pregunta dirigiéndose al pastor de la iglesia:

- *"Pastor... ¿por qué sufrimos nosotros, los cristianos?"*

Antes de responder, él me pregunta:

- *"¿Tú sabes por qué sufrimos los cristianos?"*

Yo solamente respondí:

- *"Tengo una idea..."*

El pastor nos dice: *"¿Han leído el libro de Job?"*. En ese momento escuché a mi lado izquierdo una voz. Era el Espíritu Santo de Dios que me decía: *"Escucha. Esta es la respuesta que has estado esperando durante todo este año"*.

Con toda mi atención me dispuse a escuchar lo que el Señor hablaba a través de este pastor. Al terminar él de hablar, yo había aprendido una lección de fe que restauró mi alma, sanando el dolor que me atormentaba día tras día. Una lección que queremos compartir con todos, principalmente con los que han pasado por una experiencia similar y que también están haciéndole preguntas a Dios.

"Y Jehová dijo a Satanás: ¿No has considerado a mi siervo Job, que no hay otro como él en la tierra, varón perfecto y recto, temeroso de Dios y apartado del mal? Respondiendo Satanás a Jehová, dijo: ¿Acaso teme Job a Dios de balde? ¿No le has cercado alrededor a él y a su casa y a todo lo que tiene? Al trabajo de sus manos has dado bendición; por tanto sus bienes han aumentado sobre la tierra. Pero extiende ahora tu mano y toca todo lo que tiene, y verás si no blasfema contra ti en tu misma presencia. Dijo Jehová a Satanás: He aquí todo lo que tiene está en tu mano; solamente no pongas tu mano sobre él. Y salió Satanás de delante de Jehová"

Job 1: 8-12

La Biblia describe a Job como un hombre justo, obediente a Dios, bendecido abundantemente, padre de muchos hijos e hijas y muy pero muy rico. Este hombre procuraba día a día vivir en santidad delante de Dios y para ello se purificaba y oraba por su familia.

Satanás cree que los cristianos amamos y servimos a Dios

por lo que Él nos da. Job perdió sus bienes, sus hijos y sus hijas y cuando Satanás estaba esperando que Job decidiera dejar de amar a Dios, viene la respuesta:

"...Desnudo salí del vientre de mi madre,
y desnudo volveré allá.
Jehová dio, y Jehová quitó;
sea el nombre de Jehová bendito"

Job 1:21

Satanás le quitó también la salud, pero cada vez que le quitaba algo, Job continuaba siendo fiel a Dios.

La mujer de Job, al ver que la piel de su marido estaba llena de gusanos, lo despreció y renegó de aquel Dios tan injusto, hablando a su marido de esta manera:

"¿Aún retienes tu integridad? Maldice a Dios, y muérete"
Job 2:9

Y Job le respondió:

"...Como suele hablar cualquiera de las mujeres fatuas, has hablado. ¿Qué? ¿Recibiremos de Dios el bien, y el mal no lo recibiremos?"

Job 2:10

Sin embargo, Dios tenía una recompensa a la fe y fidelidad de Job. Después de estas experiencias, el Señor le restauró todo, lo levantó, lo sanó, le dio el doble de lo que tenía; también le volvió a dar hijos y nuevamente Job fue un hombre próspero en toda la dimensión de la palabra y en todas las esferas de la vida.

¿Has Visto A Mi Siervo...?

La conclusión es que muchas veces parece que los cristianos sufrimos sin causa, pero el motivo de nuestro sufrimiento en realidad está declarado en los cielos, donde Satanás, nuestro acusador, quiere demostrarle a Dios que nosotros le servimos sólo porque Él nos da sus bendiciones, pero si nos las quita, abandonaremos a Dios enseguida. La realidad, sin embargo, es que Dios está "**orgulloso**" de nosotros y por eso Él mismo reta a Satanás: ***"¿Has visto a mi siervo... (pon tu nombre)... cómo es perfecto, temeroso de Dios y apartado del mal?***

Yo estaba con la boca abierta, apropiándome de cada palabra que el pastor explicaba, pero a pesar de eso no lograba entender cómo esa explicación era la respuesta al clamor de mi alma.

Cuando llegué a la habitación en la que me hospedaba, le dije a Dios: *"Señor muy linda esta enseñanza, he aprendido una lección con respecto a la fe y la integridad pero... ¿Qué tiene que ver esto con lo que me ha tocado vivir?"*

Fue entonces cuando la presencia de Dios inundó el cuarto y escuché al Señor decirme: ***"Quiero que sepas que el diablo vino ante mí un día y yo le pregunté: "¿Has visto a mi siervo Carlos?, y él me respondió que sí. Seguí preguntándole: ¿Has visto que me sirve desde su juventud y que lo ha dejado todo por mí?, y de nuevo me respondió afirmativamente. Satanás, entonces, me desafió a probar tu integridad y fidelidad hacia mí, diciéndome: ¡Quítale lo que más ama y vas a ver cómo reniega de ti y cómo te abandona! Y yo le dije: está bien, toca lo que él más ama."***

Allí empecé a comprender. La respuesta fue llegando con claridad a mi corazón. El adversario había desafiado a Dios como en el caso de Job. El diablo bajó y tocó a mi niña, la enfermó y la mató.

Después el Señor me habló y me dijo: ***"Carlos, yo sabía que tú no me ibas a dejar, que no dejarías la fe ni el servicio a mi obra. Yo he confiado en ti, y quiero que sepas que la muerte de tu hija no ha sido una pérdida, sino una ofrenda para mí, porque***

así Yo la he recibido".

Volvieron a mi mente las palabras de aquella profeta brasileña que Dios había usado tiempo atrás... muchos meses antes que Carlita partiera con el Señor: Carla era la gran ofrenda que le había entregado a Dios... la ofrenda del sacrificio. Tan pronto como escuché Su voz, mi corazón fue sanado. Estaba lleno de la paz del Señor. El luto salió de mí convirtiéndose en alabanza y gozo, hallando sentido a lo que no tenía respuesta, recibiendo consuelo para lo inconsolable y encontrando la explicación a lo que humanamente no podía explicarse... sin embargo, una nueva pregunta vino a mi mente: ¿Cómo era que Dios podría haber confiado tanto en mí, un simple ser humano?... Y el Espíritu Santo me contestó: ***"Dios confía en ti. Sabía que no lo dejarías ni lo abandonarías".***

No solamente me sentía sano de aquella herida, sino profundamente honrado porque Dios confió en nosotros a tal grado, aun sabiendo nuestras debilidades y la fragilidad de nuestros corazones. Esta experiencia abrió las puertas a otra dimensión de completa intimidad con Dios y comprendí perfectamente la porción de ***Romanos 8:39***: ***"...ni lo alto, ni lo profundo, ni ninguna otra cosa creada nos podrá separar del amor de Dios, que es en Cristo Jesús Señor nuestro"***

Volví a Bolivia con otra concepción, motivado, agradecido y profundamente impresionado por la revelación recibida, y derramé este bálsamo de restauración sobre Miriam, quien al escuchar estas palabras, recibió con lágrimas la misma sanidad. La fidelidad y el amor de Dios nuevamente fueron confirmados en nuestras vidas.

"Conforme a la fe
murieron todos éstos sin haber recibido lo prometido,
sino mirándolo de lejos, y creyéndolo, y saludándolo,
y confesando que eran extranjeros y peregrinos sobre la tierra"
Hebreos 11:13

Compartí nuestra sanidad en un mensaje a la Congregación, que para ese momento ya contaba con varios miles de personas.

Muchas veces pensamos que algo ya ha sido terminado, pero Dios tiene maneras de mostrarnos que todavía tenemos mucho camino por recorrer. Él no hace las cosas a medias y tiene diferentes maneras de finalizar su obra, que generalmente no son las que nos imaginamos, y eso, sencillamente le da la gloria a Dios de una manera totalmente categórica.

Miriam y yo pensábamos que ya habíamos vivido una experiencia suficientemente fuerte y todavía nos faltaba comprender qué era lo que sucedía con la salud de José. Por ello, decidimos no tener más hijos y dedicarnos completamente a la obra del Señor. En una visita al pediatra de José comentamos al médico esta decisión y él nos animó a reconsiderarla. El argumento era que todavía éramos jóvenes y que la vida tenía muchas cosas por delante para nosotros. De todas maneras decidimos esperar la mayor cantidad de tiempo posible para pensar en tener otro hijo, pero como Dios se encarga de hacer Su voluntad, un 16 de Agosto de 1989 llegaba a nuestros brazos Sara Stephanie.

Era de esperar que me sintiera muy feliz por su llegada, pero por alguna razón en mi corazón había una tremenda incertidumbre: tenía temor de apegarme a esta nueva hija como lo había hecho con Carla. Me sentía confundido. Tenía que ocuparme de ayudar en el cuidado de nuestros hijos; ser el pastor de miles de personas; viajar por todo el país estableciendo nuevas iglesias para dar a conocer la visión de nuestra iglesia, que cada día crecía más y además tenía que hacer espacio para visitar nuevos especialistas que buscaban una causa a los problemas de salud que empezaban a aquejar a José, nuestro hijo mayor.

Sin programación ni aviso previo, en el año de 1991 esperábamos un nuevo miembro. Esa temporada Dios nos había estado hablando bastante acerca de Daniel en la Biblia, de modo que concluimos que nuestro último hijo sería un varón, pero el 3 de mayo Dios nos dio otra niña más: Paola Daniela. ¡Teníamos tres hermosos hijos! Nuestra aljaba estaba completa.

Para ese tiempo, la iglesia contaba con 12 mil miembros, éramos propietarios de lo que se llamó el **"Sistema Cristiano de Comunicaciones"**, manejando una señal de radio que llegaba a toda la ciudad y pueblos aledaños y un canal de televisión que transmitía por satélite a 52 ciudades de habla hispana en todo el continente. Periódicos y revistas dedicaban páginas enteras a nuestro ministerio y la revista **"Carisma"** elaboró un artículo acerca de nuestra iglesia, publicando esa versión en idioma inglés, lo que nos dio alcance internacional. Nos consideraban los pastores más exitosos. Durante dos años consecutivos, la revista **"Enfoques"** nos reconoció como personalidades sobresalientes a nivel nacional. La iglesia vivía momentos de gloria que todos disfrutábamos. ¡Definitivamente Dios estaba con nosotros!, estábamos seguros que el tiempo de prueba había sido superado.

CAPITULO 10

JOSÉ

"No perdáis, pues, vuestra confianza,
que tiene grande galardón;
porque os es necesaria la paciencia,
para que habiendo hecho la voluntad de Dios,
obtengáis la promesa"

Hebreos 10:35-36

Nos habíamos olvidado un poco de nuestro Josecito durante el tiempo de tribulación que pasamos con la partida de Carlita.

Cuando José tenía tres años no podía caminar sin tropezar o caer, y a raíz de esa falta de equilibrio e hipotonía muscular, el pediatra nos recomendó que recibiera una terapia integral preparándolo para la escuela y el futuro.

Decidimos dedicarnos a su cuidado y para ello acudimos a neurólogos, pediatras, psicólogos, especialistas que habían estudiado en otros países, médicos que contaban con alguna reputación y prestigio en la ciudad. De todos ellos recibíamos distintos diagnósticos que nos confundían, y algunos decían que se trataba de un problema generado al tiempo de nacer.

Cuando José tenía dos años de edad, estábamos en casa y yo tocaba la guitarra, alabando al Señor en compañía de mi amada esposa. De pronto, José se sentó en un sillón grande frente a nosotros y sentimos descender la presencia del Señor de manera maravillosa. El rostro de nuestro hijo se había iluminado y notamos una expresión de adoración que confirmaba la manera como Dios le estaba tocando. Tenía sus manitos levantadas e intentaba cantar las canciones al igual que nosotros. Supe en aquel momento que nuestro hijo estaba siendo tocado por el Espíritu Santo de Dios.

"Dios me otorgó una fortaleza sobrenatural durante todo ese tiempo"

Nuevamente a La Batalla: Relato de Miriam

Como toda madre, me admiraba cuando mi hijo José mostraba sus habilidades. Cuando tenía tres años su papá le enseñó a diferenciar distintas marcas de automóviles por el sonido de sus motores y podía distinguir si se trataba de un auto, un camión o algún otro tipo de vehículo motorizado. Sabíamos que no tenía problema alguno con su intelecto.

Encontramos un Instituto en el que una psicóloga amiga le hizo varias veces terapia motriz y concluyó que, efectivamente, su intelecto se estaba desarrollando normalmente. José asistía de 10 a.m. a 12 p.m., tres veces por semana y a pesar de su dificultad, él disfrutaba ese tiempo en gran manera. Como quedaba relativamente cerca de nuestra casa, nos gustaba ir caminando las siete largas cuadras. José era muy observador y hacía muchas preguntas.

Recibía servicios de fisioterapia, psicología y pedagogía. Sus reportes eran alentadores. Obviamente no caminaba como los demás niños ni podía correr, pero su rendimiento académico era normal.

A la edad de cinco años, José tuvo una pelea con un amiguito y llegó llorando de la escuela. Miriam le explico que él no estaba solo, puesto que aparte de tenernos como padres, también contaba con la compañía de Jesús, pero que podía tenerlo más cerca para ser protegido y librado de todo mal si le recibía en su corazón. En ese momento, José comprendió el mensaje y decidió entregarle su vida a Jesucristo. A partir de ahí, se sintió seguro e iba a clases feliz después que oraba con él. Era un niño sumamente tierno y cariñoso.

José Esteban, 5 años. La Paz, Bolivia

A los seis años José entró a la escuela primaria, su primer año fue el mejor de toda su vida, porque tuvo una maestra excepcional que además era pediatra: La doctora Liliana Beltrán logró que él rindiera al máximo de su potencial académico y también pudo supervisarlo y considerar su condición física. La Dra. Beltrán pudo crear consideración por José entre todos los niños del curso, quienes le otorgaron privilegios como ser el primero en salir a recreo o el primero en usar el baño si lo necesitaba. Ella en persona se cercioraba si comía su almuerzo, y cuando no podía hacerlo, ella lo ayudaba. ¡Dios bendiga este tipo de personas misericordiosas!

Los siguientes dos años fueron más duros para nuestro hijo por su dificultad para caminar. Le costaba abrochar los botones de su camisa o subirse el cierre del pantalón. Tenía dificultad para manejar un lápiz y le costaba mucho escribir.

José participaba en la escuela en todas las actividades al aire libre como el resto de los niños, pero como no podía correr, durante las actividades deportivas lo tenían sentado todo el tiempo mirando a los demás.

Ese año tuvimos que lamentar que sus brazos, su rostro y su cuero cabelludo sufrieran quemaduras hasta de segundo grado. Habíamos descubierto con ello que José era extremadamente sensible a los rayos del sol. Por quince días tuvo que someterse a un tratamiento riguroso de aislamiento de la luz solar, al punto de que no podía ver ni un rayo de sol en esos días. Su habitación tenía que estar completamente cubierta y a oscuras. No podía salir a jugar, ni pasear. Ni siquiera podía estar en la sala principal de la casa, pues por las ventanas se filtraban los rayos solares. Esta era una situación muy difícil de comprender para un niño, pero cuando recibía las explicaciones lógicas y las razones médicas de su condición, él entendía y simplemente obedecía. Esta actitud era algo admirable en José.

Miriam sentia mucha tristeza y no sabía qué hacer por él. Le dolía pensar en las limitaciones que pasaba en la escuela, cuánta vergüenza y frustración sentiría por no poder alcanzar el nivel de movimiento de los demás, las burlas de los chicos cuando le ocurrían accidentes por no poder llegar al baño a tiempo, o por no haber podido lidiar con el cierre de su pantalón. Lo veía encerrado en su clase, simplemente mirando las carreras y juegos de sus compañeritos a través de una ventana. Pero su mente estaba sedienta de aprender más, así que tuvimos que tomar una decisión.

Conseguimos una persona para que cuidara de nuestras hijas y pedímos permiso para que Miriam asistiera a la escuela junto con José. Ella sería sus manos y sus pies, le leería sus lecciones, le tomaría sus exámenes y escribiría las respuestas por él con toda honestidad. Haría todo lo que fuera necesario para que su mente continuara absorbiendo todo el conocimiento que él pudiera recibir. No había nadie más feliz que José. Se sentía protegido y amado.

José amaba los animales y disfrutaba viendo en la televisión programas donde se mostraba la vida silvestre. Un día, lo llevé a una tienda de mascotas y volvieron muy contentos con unos pececitos. Poco a poco fuimos comprando distintos tipos de peces hasta llegar a tener 50, de diferentes colores y tamaños. Le leía detalles acerca de los peces y contemplando su pecera aprendió las características de todos y cada uno de ellos.

José también tenía unos periquitos, ratones blancos de laboratorio, dos tortuguitas de mar, un perro y, para completar, tenía un loro que gritaba: "*¡Pastor! ¡Pastor!*". Pensábamos que cuando Josecito creciera, sería veterinario o chef, porque también disfrutaba viendo programas de cocina internacional en la televisión.

A la edad de 10 años le sobrevino una infección pulmonar que lo afectó mucho; tosía hasta el punto de no poder respirar y tuvimos que internarlo de emergencia por una pleuresía: para salvar su vida le colocaron un catéter directo al pulmón sin ningún tipo de anestesia. Estuvo una semana internado en el hospital con antibióticos fuertes, y esta fue la oportunidad en que reafirmó su fe en el Señor Jesús.

"Yo no quería amar a nadie más, porque sencillamente me parecía que todo lo que yo amaba se moría"

Su hipotonía muscular iba en aumento y ya no era capaz de caminar por sí mismo; por este motivo, al siguiente año, continuó sus estudios en casa para lo cual contratamos los servicios de una maestra.

José no se quejaba. Sobrellevaba sus limitaciones con paciencia. Tenía una mirada tan dulce que yo lo llamaba "mi mapachito". Era muy cariñoso y siempre tenía una sonrisa en sus labios aunque se sintiera muy enfermo y débil. José llenaba la vida de Miriam de alegría y duplicaba sus fuerzas cada día para poder seguir adelante.

Dios nos dió una fortaleza sobrenatural durante todo ese tiempo, puesto que en medio de estas circunstancias nuestras dos hijitas también empezaron a dar muestras de quebrantos de salud. El caso de José empeoró y me surgió la pregunta:

- *"¿Qué es lo que está pasando, Señor?"*.

Algunos creían que era una contradicción verme predicando el evangelio y orar por los enfermos que recibían sanidad, pero nuestros hijos continuaban delicados y a pesar de todo, la iglesia continuaba creciendo.

CAPITULO 11

SARA: ENVIADA para Consolar

"Porque de la manera que abundan en nosotros las aflicciones de Cristo, así abunda también por el mismo Cristo nuestra consolación"
2 Corintios 1:5

Sarita era feliz a mi lado, se notaba el inmenso amor que sentía por mí. Buscaba cualquier oportunidad para hacerme compañía y jugar conmigo. Todo lo que yo decía tenía un valor casi absoluto para ella.

Un día, mi esposa y yo escuchamos a las niñas conversando sobre una novela de la televisión. Su abuela materna gustaba de las novelas y las miraba durante el tiempo que cuidaba a nuestras hijas. Di la instrucción para que no se viera televisión en casa a menos que yo lo autorizara, para que las niñas no fueran influenciadas por las novelas. Al día siguiente, cuando mi suegra encendió el televisor con la intención de ver su novela preferida, Sarita se puso delante del televisor para impedir que su abuela pudiera ver el programa. Mi suegra dijo que Sarita reclamó

- "*¡Mi papá dijo que no se puede ver la tele!*"- con tanta vehemencia, que tuvieron que apagar el televisor.

Nuestra hija gustaba de la música. Era una niña muy saludable que cantaba todo el día. Un día su abuela materna la escuchó cantando: "*...estoy amorada de mi hooombreee...*" e inmediatamente dio aviso a Miriam porque le pareció extraño que Sarita estuviera cantando canciones con letras tan poco convencionales para una niña. Miriam le preguntó de qué se trataba, después aclaró que la canción se refería a Jesús.

La Mantita Roja

Un día llegué de la iglesia y escuché un alboroto. Mi suegra, José, Daniela y la empleada doméstica que teníamos, contemplaban a Sarita y a mi esposa que lidiaban con un tema: La mantita roja de Sarita.

Miriam había llegado de la calle y encontró a Sarita en un llanto intenso. Ella quería tomar su siesta y cubrirse con su mantita roja. Nadie podía encontrar la famosa mantita roja, hasta que Miriam le dijo:

- "*¿Muéstrame hijita cuál es tu mantita roja?*"

Entonces Sarita señaló una mantita amarilla que mi suegra había tejido para ella con mucho cariño. Amorosamente, Miriam puso a la pequeña en su camita y le explicó:

- "*Hijita... esta no es una mantita roja, es amarilla.*"

Sarita replicó:

- "*No mami, esta es mi mantita roja.*"

Una y otra vez, Miriam intentó enseñarle cuál era el color rojo y cuál era el amarillo, pero no tuvo éxito alguno. Esto hacía llorar a mares a la niña y Miriam estaba perdiendo el control, hasta que entré.

Después de escuchar la explicación de mi esposa, las miradas de todos convergieron en mí. Esperaban mi veredicto para sacar a Sarita de su error, entonces, Sarita hizo la pregunta del millón:

- *"¿Papi… no ve que mi mantita es roja?"*

Mi suegra me miraba fijamente; la empleada estaba colorada de los nervios; José, de pie frente a nosotros, parecía no entender el motivo de la discusión entre su madre y su hermana. Sarita esperaba diciéndome con su mirada que mi respuesta le daría la seguridad que ella necesitaba.

Luego de un momento de suspenso, dije lo siguiente:

- *"Para todos en esta casa, a partir de hoy, esta mantita es "la mantita roja de Sarita"."*

Mi suegra no podía creer lo que estaba escuchando, la empleada se reía nerviosamente y Miriam quería comerme con la mirada. Acto seguido, Sarita se dirigió a su mamá y le dijo:

- *"¿Ves mami? Es mi mantita roja, mi papi lo dijo".*

Después tuve que explicar a mi esposa que la niña era muy pequeña para entender los conceptos de los colores y hasta que llegara el momento que comprendiera, deberíamos tenerle paciencia.

Sarita me acompañaba a las canchas de raquet, donde me observaba jugar, mientras ella se entretenía con sus muñecas y esperaba para regresar a casa juntos. Era la niña más feliz solamente por el hecho de lograr sentarse en mi regazo. Sarita fue la única que me acompañó ministerialmente.

En una oportunidad yo tenía un compromiso para predicar en un culto de resurrección en la ciudad de Cochabamba, era una reunión muy importante, para la cual se reunirían miles de personas en un coliseo de la ciudad, Miriam no podía cuidar de ella porque tenía que ocuparse de Daniela a quien habían internado en el hospital por una infección.

José quedó al cuidado de mi suegra, pero Sarita no quiso quedarse, acordamos que viajara conmigo.

Fue la aventura más linda de su vida, viajar con su papi, dormir en la misma habitación y tenerlo para sí misma todo el tiempo en que él no estuviera predicando, esto era para Sarita lo más lindo que le podía pasar.

No podía entender tanto amor de parte de mi niña. A pesar de que mi corazón estaba sano por la pérdida de Carla, de alguna manera yo no aceptaba el amor de Sarita. Le dedicaba sólo el tiempo necesario. Muchas veces ella se acercaba a mí con mucho cariño pero yo la derivaba a su madre.

Un día fui confrontado acerca de mi actitud, recuerdo que Miriam me preguntó por qué yo no amaba a Sarita de la misma manera que a Carlita. No tuve respuesta, pero más tarde orando al respecto, la respuesta que Dios mi dió me sorprendió, El me dijo: "Tu sientes en tu corazon que todo lo que amas se muere, por eso no quieres amar a tu hija para que no muera". Todavía existían cosas que necesitaban ser tocadas por Dios. Yo no quería amar a nadie más porque sencillamente me parecía que todo lo que yo amaba se moría. Obviamente haciendo referencia a Carla.

Me sorprendí que tuviera ese pensamiento en lo profundo de mi corazón y que se hubiera convertido en un impedimento para que yo disfrutara del amor puro de mi inocente pequeñita, que en realidad no debiera haberse llamado Sara Stephanie sino Sara Consuelo, porque después entendí que fue enviada por Dios para consolarme y sanarme de la profunda herida que se había hecho en mi corazón. Entendí lo que había sucedido con mi hija Carla, pero algo estaba todavía pendiente: mis sentimientos más profundos, los cuales ni yo mismo entendía, debían ser sanados, y Dios, que todo lo ve, los conocía y por esa razón me envió una hija cuya misión en la vida era sanar el corazón de su padre. Sarita logró ese objetivo algunos años más adelante.

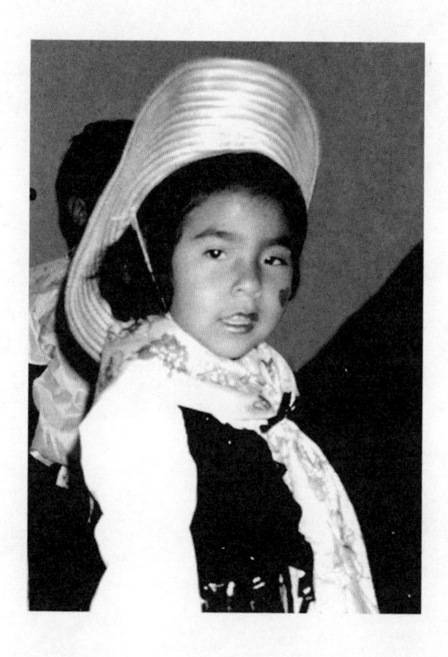

Sarita en la escuela a los 5 años

CAPITULO 12

DANIELA LA HIJA de la Unidad

"...que a los afligidos de Sion
se les dé gloria en lugar de ceniza,
óleo de gozo en lugar de luto,
manto de alegría en lugar del espíritu angustiado..."

Isaías 61:3a

Paola Daniela demostró que sería una niña alegre, dinámica, diligente y colaboradora. Tenía una personalidad muy definida y un carácter muy fuerte, que no se doblegaba casi por nada. A veces era necesario disciplinarla repetidas veces y al momento de preguntarle: "*¿Estás arrepentida?*", muchas veces su respuesta era "*¡No!*".

Nunca dejábamos que nuestros hijos percibieran la disciplina como sinónimo de rechazo; de modo que una vez corregido el problema, les expresábamos mucho afecto. Ella respondía de una manera maravillosa convirtiéndose en una niña obediente y dócil.

En mi estante de libros, Miriam guardaba unos cuadernos de colorear. Como ella había ido a una actividad de las damas de la iglesia, me quedé en casa cuidando a nuestros hijos. José, contento y tranquilo estaba disfrutando de su programa preferido en la televisión: cocina internacional, Daniela y Sara me pidieron los cuadernos de colorear, pero yo no los podía hallar, entonces Daniela, con un dejo de sarcasmo (genéticamente heredado), me dice: "*¿Eres tonto?*".

En ese momento llegaba Miriam y yo continuaba sorprendido por el comentario de mi hija, Miriam no sabía qué decir, decidí tomarlo por el lado gracioso, mire fijamente a Daniela y le dije en son de broma:

"Soy uno de los pastores más respetados del país, conocido en todo el continente, cientos de líderes obedecen mis instrucciones y millones de personas me observan por televisión...¿Y tú me insultas de esa manera?... ¡Sólo porque eres mi hija te dejo pasar la ofensa!".

Ella con una sonrisa y una mirada de suficiencia, tomó los cuadernos que por fin su madre le había alcanzado; se volvió y se marchó llevando a su hermana Sarita sin darme ninguna explicación posterior.

A pesar de las experiencias pasadas, Dios nos había dado la bendición y alegría de ser una familia con muchos momentos hermosos. Miriam se esforzaba en ser una madre amorosa lo mismo que una esposa abnegada aunque los deseos de servir ministerialmente no desaparecían, talvez cuando los niños crecieran...

Miriam y Daniela a la edad de 5 años. Virginia, USA

CAPITULO 13

INMUNODEFICIENCIA

La salud de los niños no era buena. Observábamos algunas características en ellos que nos parecían raras, pero ignorábamos su causa o tratamiento, como los resfríos que afectaban a nuestros hijos de manera preocupante. A Daniela le costaba superarlos y José había comenzado a sufrir de una tos que posteriormente se haría crónica, manteniéndolo en un tratamiento de antibióticos, fisioterapia y todo lo que nuestro medio podía ofrecernos como solución a esos problemas.

Sarita era la más saludable de los tres y tenía un excelente apetito, lo mismo que Daniela. Casi no se había enfermado hasta aquel día en que, a los tres años de edad, amaneció con uno de los deditos de su mano sumamente inflamado. Cuando Miriam me mostró la manito, la llevé al médico pensando en una dislocadura o fractura del hueso, pues la inflamación del dedo me sugería eso. Después de los rayos X comprobamos que no había nada anormal con los huesos de Sara, pero nadie sabía explicar la inflamación del dedo. Ella no se quejaba de ningún dolor, de modo que no tuvimos más alternativa que observar y esperar.

Daniela, mientras tanto, sufrió un resfrío que rápidamente se convirtió en bronquitis, tuvo que ser hospitalizada por tres días puesto que los tratamientos habituales no dieron resultado.

"Fue la primera vez que vi a su pediatra resignado y sin argumentos para pelear por ella"

Para este tiempo nos encontrábamos en una campaña por descubrir que era lo que minaba la salud de nuestros hijos. El hecho de tener una congregación tan grande nos permitía estar en contacto con muchas personas de diferentes profesiones que querían ayudarnos. Entre ellas había una doctora especializada en Europa, que nos ofreció hacer unos estudios de sangre en los niños. Gracias a ella descubrimos que nuestros hijos tenían una extraña anormalidad en su sistema inmunológico. Sara tenía niveles casi inexistentes de dos inmunoglobulinas, pero tenía una de ellas en exceso, y esto la protegía contra las infecciones, siendo ésta la razón por la que no enfermaba con tanta frecuencia. La cantidad de inmunoglobulinas de José eran normales, pero sus problemas respiratorios no se solucionaban. Daniela, por otro lado, tenía niveles muy bajos, casi inexistentes de inmunoglobulinas.

Cuando Daniela fue hospitalizada a causa de la bronquitis, ya contábamos con un seguro de salud que cubría los tratamientos y la hospitalización; nuestras finanzas habían mejorado y eso nos permitía proveer mejores medios para ayudar a nuestros hijos.

Enfrentando La Muerte

Después de aquellos tres días de tratamiento en el hospital, Daniela fue dada de alta. Al segundo día de estar en casa, la niña pasó toda la noche con fiebre muy alta, al día siguiente mientras la cambiaba, Miriam observó una mancha en el estómago de Daniela, que le pareció algo raro, pero no le di mayor importancia y le pedí que me mantuviera informado de lo que sucediera. Alrededor del medio día Daniela estaba en shock, la mancha se había extendido y cubría una buena parte del lado derecho de su estómago. La llevamos de emergencia al consultorio de su pediatra, quien era una persona poco expresiva; sin embargo, luego de examinarla detalladamente, notó otras manchas similares en el costado de la pierna izquierda y en el talón y se notaba muy preocupado. Escribió un informe larguísimo y nos dijo que ella tenía algo muy grave y que estuviéramos preparados para lo peor. Debíamos internarla inmediatamente en el hospital donde le harían exámenes y un tratamiento de emergencia.

Llegada la noche nos dieron el informe: Daniela estaba siendo afectada por una sepsis… una infección muy fuerte que había rebasado las defensas del cuerpo y entrado en el torrente sanguíneo. Supimos que cuando existe un diagnostico así, el paciente está a punto de morir.

No sabíamos qué hacer, la incertidumbre inundaba nuestros pensamientos. La sombra de la muerte se hacía presente nuevamente. Mis sentidos espirituales se agudizaron, mis emociones se suprimieron al máximo y oraba con todas mis fuerzas. Cuando algo serio ocurría con mis hijos, todo mi ser entraba en un estado de emergencia. Me convertía en una máquina de tomar decisiones, dispuesto a hacer lo imposible para solucionar el problema.

Se temía que la infección hubiera llegado al hueso. El traumatólogo hizo una punción para sacar líquido de la médula y examinarlo. Un temor frío inundaba el ambiente. Nos atormentaba saber que estábamos frente a un enemigo desconocido, que no sabíamos cómo enfrentar y la víctima era la más pequeña de nuestras hijas. Daniela apenas tenía un año y ocho meses.

El Diagnóstico

Nuestra pequeña Daniela tenía agujas clavadas en sus bracitos y pies por donde le administraban el suero y los antibióticos. Estaba hinchada y para entonces los cultivos de laboratorio ya habían identificado la bacteria que estaba produciendo semejante dano en el cuerpo de Danielita. Era la ***Pseudomona aeruginosa***, una bacteria tan agresiva que en cuestión de horas (como efectivamente lo hizo) podía producir una sepsis y luego la muerte. Este tipo de bacteria se encuentra también en los hospitales y son altamente resistentes a los antibióticos fuertes.

Para explicarnos la naturaleza de la bacteria el médico nos dijo:

- *"Es como si su hija hubiera tenido una herida abierta y hubiera sido colocada en la más sucia cloaca".*

Nuestra hija se contagió estando internada en el hospital durante los tres días que estuvo en tratamiento por la bronquitis.

Sabiendo que el sistema inmunológico de Daniela no tenía los elementos para ayudarla, el pediatra solicitó quince ampollas de un antibiótico que no solo era muy caro, sino muy difícil de conseguir. Recorrimos incontables farmacias en busca del medicamento, hasta que alguien consiguió un médico que tenía un par de ampollas que cedería pero debíamos reponérselas. Uno de nuestros hermanos en la fe tenía un pariente que era un empresario que importaba medicamentos. Este bendito varón hizo revisar todas las bodegas del país y finalmente nos obsequió el resto de las ampollas.

Dios bendiga a todos los ángeles de carne y hueso que en medio de nuestro peregrinar de dolor nos ayudaron de una u otra forma. Les tenemos una deuda de amor impagable.

Mientras estábamos en este proceso, amigos y conocidos, en su afán de ayudarnos, sugerían que cambiáramos a la niña de Hospital, que buscáramos otro especialista porque no se veían resultados de lo que su pediatra estaba haciendo. Esto me produjo una confusión muy grande y en medio de todo el sufrimiento tenía además que tomar la decisión de cambiar de médico y hospital o continuar en el mismo lugar. Ante esa situación, hice una oración desesperada:

- *"¡Dios mío, ayúdame, no sé qué hacer!".*

Abrí la Biblia porque mi mente no podía escuchar la voz de Dios. Leí aquel versículo que dice:

"Por tanto, hermanos, tened paciencia hasta la venida del Señor. Mirad cómo el labrador espera el precioso fruto de la tierra, aguardando con paciencia hasta que reciba la lluvia

temprana y la tardía" (Santiago 5:7).

Allí entendí que Dios quería que esperara el fruto del tratamiento.

¡Cuán importante es tener el recurso de la oración y saber que Dios nos responde en los momentos más difíciles!.

La bacteria avanzó hacia la pierna, la pantorrilla y el talón y provocó una herida muy grande en el estómago de nuestra hija. El pediatra me dijo que había que remover la infección quirúrgicamente, la carne muerta debía ser retirada. Daniela tuvo que mantenerse en ayunas hasta ser intervenida, lo cual significaba que deberla soportar hambre por largas horas. Miriam le cantaba, oraba por ella, le prometía que le daría todo lo que quisiera al salir, casi nada funcionaba, hasta que su mamá decidió darle un chicle (goma de mascar). ¡Sabia solución! Daniela masticaba el chicle antes de entrar a cirugía, oraba con su mamá y pedía la compañía de ángeles. Luego se despedía con una sonrisa y con las manitos cuando entraba a quirófano. En total fueron diez las veces que fue intervenida.

En una de las intervenciones colaboró una enfermera, que nunca había tenido un problema durante sus 15 años de experiencia como asistente de sala de operaciones. Al ver la herida de nuestra hijita exclamó:

- "¡¡Dios *mío qué pecado habrán cometido los padres de esta criatura para que tenga tan horrible llaga!!*".

En ese instante, el bisturí que estaba pasando al cirujano se le "resbaló" de las manos, provocándole un corte en la palma de su mano. El bisturí cayó sobre la herida abierta de nuestra hija sin provocar daño. Asustada, la enfermera extendió su mano y la sangre de la herida infectada de mi hija se mezcló con la suya provocando la posibilidad de contagio para aquella enfermera que tuvo que salir inmediatamente del quirófano y buscar el medicamento para recibir las dolorosas inyecciones intramusculares por quince días. Después supo que los padres de esa niña eran pastores cristianos y le invadió un temor muy grande: ***"Jamás vuelvo a decir algo en contra de un cristiano"***, confesó.

La Experiencia Con Dios

Daniela había pasado cuatro meses recostada en una cama del hospital. Miriam había convertido esa sala en su altar de oración y siempre esperaba que la niña estuviese durmiendo para derramar su alma delante de Dios. Se había propuesto animar a Daniela con sus dulces palabras, su fe, su alegría y su sonrisa, nuestra hijita debía sentir esa seguridad, no ver a su madre derramando lágrimas.

En una oportunidad en particular Miriam no se percató que Daniela había despertado y que la estaba viendo de rodillas en el piso de la habitación, llorando. Se escuchó su vocecita:

- ***"Mamá... ¿Por qué lloras?"***

Miriam, un poco sorprendida, le dijo:

- ***"Estaba orando por ti, pidiendo a Jesús que te sane".***

Miriam preguntó a Daniela si quería recibir a Jesús en su corazón. Daniela aceptó y su mamá la guió en una oración muy breve. Después Daniela dijo:

- *"Pásame mi "liblia" (Biblia)".*

Por varios minutos hojeó su Biblia haciendo ademanes de estar leyendo. Tenía dos años y se hacía muy evidente la actitud de reverencia y amor que mostraba cuando se oraba o cantaba al nombre de Jesús.

Reinfección

La situación con Daniela parecía una montaña rusa. Buenas noticias que nos alegraban un día… crisis al día siguiente.

Cuando ya lo peor parecía haber pasado, Daniela tuvo fiebre. Los médicos hicieron análisis de sangre para saber la fuente y después de unos días vinieron con la noticia: la niña se había reinfectado. Fue la primera vez que vi a su pediatra resignado y sin argumentos para pelear por ella. Como era una persona poco comunicativa, se retrajo y luego vino con una receta en su mano. A tiempo de entregármela me dijo:

- ***"Este medicamento es muy difícil de conseguir... si lo obtiene... es la única cosa que puede salvar a su hija. Si no lo hace...no hay nada que podamos hacer".***

El medicamento no se conocía en las farmacias y nuestros amigos importadores no sabían donde podríamos conseguirlo.

- *"¿Cómo está Danielita?"* - Era Graciela Vásquez, una amiga y asistente a nuestra congregación que trabajaba en la Embajada Americana. Le comenté acerca de la receta imposible de conseguir. Ella me pidió que se la mostrara y luego de unos días apareció con un paquete en sus manos conteniendo las inyecciones necesarias. Después de agradecerle y preguntarle cuánto costarían, me dijo:

- ***"Pastor: no se preocupe del dinero. Ya están pagadas".***

Los ángeles que forman el cuerpo de Cristo son maravillosos, los hijos de Dios son aceite suave para el corazón sufriente.

Llegué al hospital con los medicamentos en la mano y se los entregué al médico quien me miró muy sorprendido y me dijo:

- *"¿Como hizo para conseguirlo? ¡Usted me sorprende! ¡Esto es increíble!"*

Era una muestra de la manera en que Dios nos proveía. Era como si Él dijera: ***"Daniela no morirá por la falta de un medicamento. Ella vendrá conmigo cuando sea su momento".***

Daniela recibió el tratamiento por diez días y en medio de todas estas angustias, debíamos seguir cumpliendo con los compromisos del ministerio. Esa temporada tuvimos un concierto con la participación de un cantante famoso y yo había sido nombrado maestro de ceremonias. Mientras duraba el concierto, mi corazón estaba junto a mi hija en el Hospital.

Las heridas en el cuerpo de mi hija eran tan grandes y profundas como quemaduras de tercer grado, que tomarían mucho tiempo en sanar. Habían extraído de su cuerpo tanta piel y carne que finalmente el cirujano plástico que la intervino decidió actuar de manera agresiva, porque ya no abrigaba esperanzas de verla salir con vida. Junto al tejido gangrenado, también retiró carne sana y viva injertándole posteriormente carne de cerdo liofilizada, tratada especialmente para matar cualquier bacteria existente y ayudar a la regeneración de la piel.

A partir de esa intervención, semanalmente sometían a Daniela a curaciones y procesos de limpieza en el quirófano, como si se tratara de una cirugía mayor.

Cuando pensamos que Daniela ya había salido del peligro, el médico en un análisis físico final, antes de decidir darle de alta, descubrió unos abscesos en la rodilla, otro bajo el ombligo y otro en la ingle. Visiblemente angustiado nos dijo:

- *"Si estos abscesos que se ven por fuera, también están por dentro, no hay nada que hacer. Vamos a drenarlos, haremos unos exámenes y esperaremos."*.

Ese fue el momento en que Miriam y yo llegamos al punto más difícil de esa experiencia, solo Dios podía librar a nuestra hija, así que oramos:

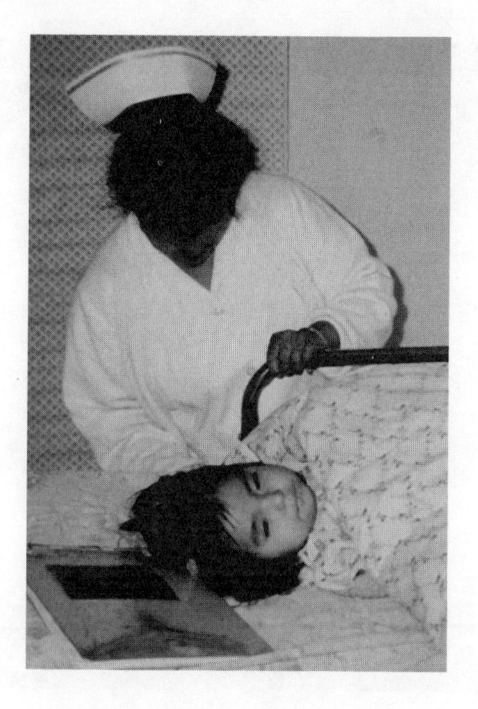

Daniela, una de las 10 veces que entró a quirófano.
Clínica de la Caja Petrolera.
La Paz, Bolivia.

- ***"Señor... hasta aquí hemos hecho lo que estuvo a nuestro alcance por nuestra hija, pero ahora te la entregamos para que se haga Tu voluntad".***

Daniela no estaba bien. Los médicos decidieron drenar los tres abscesos. Desinfectaron y tuvimos que esperar tres días.

A la mañana del cuarto día, el cirujano plástico entró en la habitación; miró a nuestra hija que estaba vendada de pies a cabeza; cortó todas las vendas, la revisó y la levantó desnuda para ponerla en manos de Miriam diciendo estas palabras:

- *"Señora, la niña está sin infección, tómela y llévesela lo más lejos posible del hospital, no queremos que se reinfecte".*

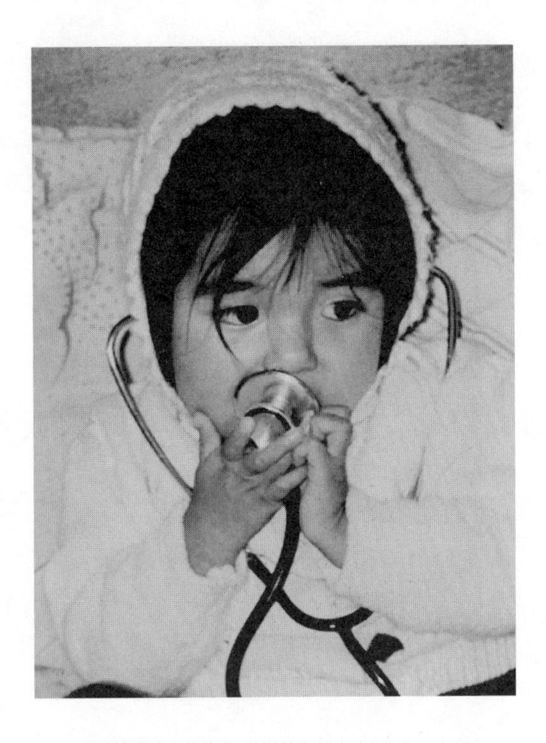

Danielita es dada de alta después de 4 meses de hospitalización

Nos recomendó que estuviera al aire libre y que tuviera contacto con la naturaleza para que su cuerpecito desarrollara su sistema inmunológico.

Recuerdo que cuando Miriam me dijo que nos podíamos ir a casa luego de tener vestida a Danielita, mirándola a los ojitos hice una oración de autoridad hablándole a la muerte y dije:

"Te hemos vencido, no pudiste con nosotros esta vez, la victoria es nuestra en el nombre de Jesús!"

"...Sorbida es la muerte en victoria.* ¿Dónde *está, oh muerte, tu aguijón?
¿Dónde, oh sepulcro, tu victoria?"
1 Corintios 15: 54-55

Para entonces Dios nos había regalado un auto mediante un hermano. Saliendo del hospital pasamos por la heladería más cercana para comprar helados. Paseamos con nuestra Daniela, quien no cabía en sí por la alegría de estar vestida, sentada sobre las faldas de su mami y saboreando un helado. Era poco menos que el paraíso para ella luego de haber estado esos cuatro meses, recostada sobre una cama.

Disfrutamos de esos minutos simples que muchas veces consideramos triviales cuando tenemos buena salud. Con nuestros hijos aprendimos a valorar los momentos más sencillos y disfrutar de la simpleza más pequeña como un regalo de Dios.

Daniela a su retorno del Hospital, abrazada por Sarita.

"Sorbida es la muerte en victoria. ¿Dónde está, oh muerte, tu aguijón? ¿Dónde, oh sepulcro, tu victoria?"

1 Corintios 15:54-55

[illegible]

[illegible]

CAPITULO 14

DE FRENTE a lo Incomprensible

Transcurrieron aproximadamente seis meses después de aquellos días en que Daniela por fin había sido curada. La iglesia ya sabía que algo estaba ocurriendo con la salud de mis hijos. Algunos hermanos nos hacían llegar su simpatía de diversas maneras, otros oraban por nuestra familia; otros simplemente nos amaban silenciosamente, ese amor era para nosotros como una valla de protección.

Entre los miles de asistentes a la iglesia, estaba una persona muy especial. Su nombre era Lourdes Ursic, quien sufría de un mieloma múltiple, un cáncer terminal… sin embargo, una mujer luchadora que amaba a Dios y confiaba en Su poder. Lourdes iba a viajar a los Estados Unidos y pasó a despedirse de una hermana a quien visitábamos. Al verme ayudando a caminar a mi hijo, me dijo:

"La esperanza de vida de estos niños es de 17 años de edad" "Esa era la buena noticia"

- ***"Pastor, yo le prometo que haré todo lo posible para que sus hijos puedan ir al mismo hospital al que estoy yendo yo."***

Un tanto escéptico agradecí su ofrecimiento, no sabiendo si se haría realidad, pero su amor era evidente y eso para nosotros era lo más importante.

Unos días después recibíamos una llamada desde los Estados Unidos. Lourdes había averiguado todos los detalles necesarios y nos informaba que los médicos requerían nuestra presencia para poder hacer el diagnóstico. Teníamos pocas semanas para preparar el viaje, reunir los fondos necesarios y partir. No sabíamos cómo haríamos para tener hospedaje, ni a cuánto ascenderían nuestros gastos, ni del costo del transporte. Sencillamente no teníamos tiempo para considerar todos esos factores.

En septiembre de 1994 estábamos aterrizando en el aeropuerto Reagan de Washington DC. Un vehículo enorme nos esperaba. El conductor era el yerno de una hermana en Cristo, en cuya casa nos hospedaríamos. Nos encontramos con dos familias viviendo bajo el mismo techo, junto a la abuelita de la familia, Carmen Albarracín, quien fue otro de nuestros ángeles de carne y hueso. Ella era uno de los 12 mil miembros de Ekklesía en Bolivia y había estado orando para que sus hijos nos recibieran en su casa. En los días siguientes nos reencontramos con varios miembros de nuestra iglesia que habían emigrado al país del norte. Como siempre, una vez más, pudimos comprobar la fidelidad de Dios en cada detalle.

La Verdad En Los Estados Unidos

En 1994 José contaba con diez años de edad, Sarita tenía cinco y Daniela dos. Lourdes nos había conseguido una cita con un médico pediatra cerca del NIH, Instituto Nacional de Salud, por sus siglas en idioma inglés. El médico estaba con una asistente. Escucharon durante una hora el detalle de las enfermedades de nuestros hijos. Nos pidieron que los esperáramos y salieron para volver como media hora después, con dos noticias: una buena y otra mala.

Quisimos escuchar primero la buena noticia: Habían identificado la causa de los problemas de salud de nuestros hijos. Diez años de espera para poder escuchar el diagnóstico.

El médico dijo: ”*Estamos seguros en un 95% de lo que sus*

hijos tienen. Necesitaremos tomar muestras de sangre y algunas fotos para confirmar al 100%."

Entonces nos dieron el nombre de aquella enfermedad: **ATAXIA TELANGIECTASIA**. Se trataba de un gen recesivo. Si nos hubiéramos casado con otras personas, no se hubiera manifestado, pero tanto Miriam como yo éramos portadores de ese gen, lo que lo convirtió en dominante. Esta enfermedad producía deficiencia neurológica degenerativa y además afectaba a varios sistemas de diferentes maneras. A veces producía daños en el sistema digestivo, como ocurrió con Carlita, y anulaba en muchos casos el sistema inmunológico, lo cual fue cierto en Sara y Daniela, o impedía que los músculos se desarrollaran normalmente. Además producía problemas en el equilibrio, el sistema respiratorio, y afectaba también la tonicidad muscular. Las personas con esta enfermedad generalmente terminan en silla de ruedas a los 12 años y son seis veces más proclives a contraer algún tipo de cáncer. No deben ser expuestos a los rayos del sol porque les produce serios daños. Este detalle de deficiencias provocadas por la enfermedad correspondía a nuestro José.

La esperanza de vida de estos niños es de 17 años de edad, esa era la buena noticia.

La mala noticia era que, aunque las características de nuestros tres hijos eran diferentes, los tres eran portadores de una enfermedad que no tenía cura.

Miriam y yo no supimos qué decir. Abrigábamos una esperanza de sanidad por los avances médicos de los Estados Unidos y aquella noticia nos dejó paralizados.

El médico nos aclaró que se trataba de un gen que no había sido descubierto y que la enfermedad era tan rara que de los 250 millones de habitantes en los Estados Unidos, solo 700 familias estaban afectadas. En el resto del mundo solamente se tenía conocimiento de la existencia de un paciente en Chile, 3 en

Argentina, 2 en China y nosotros éramos los primeros bolivianos diagnosticados con la enfermedad.

La llamaban enfermedad huérfana, porque los gobiernos y empresas privadas no asignaban recursos a los organismos de investigación, ya que los beneficiarios serían muy pocos y la inversión no se justificaba.

Como consuelo, el médico nos dijo que en Estados Unidos existían dos lugares donde se estaba haciendo investigación al respecto. Uno era en California y el otro en Nueva York.

Una sensación de abandono nos invadió. Era como sentir la muerte rondando nuevamente. A partir de aquel momento, Miriam y yo sabíamos a lo que nos enfrentábamos. Solamente podríamos esperar un milagro y que Dios quisiera glorificarse sanando a nuestros hijos.

Los hermanos de la iglesia nos ayudaban como podían, la familia con la que estábamos, amorosamente nos proveía de techo y comida.

Algunas iglesias, sabiendo que era un pastor muy conocido en Bolivia, me invitaban y con gusto compartía la Palabra. Al finalizar la prédica los pastores venían con un sobre de ofrenda para nosotros. Me sentía ofendido en mi dignidad ministerial, porque en mi país no teníamos costumbre de recibir ofrendas por predicar el evangelio. Yo consideraba que como ministro de Dios, Él era mi provisión de manera que cada vez que me entregaban un sobre, lo recibía sorprendido y se lo entregaba a Miriam sin abrirlo.

Así pasaron varias semanas, hasta que entramos en contacto con Juan Carlos, hermano del pastor Salcedo, cuya esposa, Linda, era enfermera. Ella fue otro de los ángeles que Dios proveyó para nosotros. Decidió tomar en sus manos el caso de mis hijos y buscar ayuda para ellos. Logró contactarse con los científicos que estaban desarrollando la investigación en Nueva York y ellos acordaron recibirnos. Luego nos consiguieron un lugar para vivir, en casa de una familia cristiana con dos niños.

Nos despedimos del grupo de hermanos de Virginia y viajamos a Nueva York. En este ínterin, Lourdes Ursic no pudo resistir más la enfermedad y algunas semanas mas tarde pasó a la presencia de Dios. Estamos seguros que volveremos a verla cuando Cristo venga por segunda vez.

Carlos y Miriam al llegar a New York

En Nueva York, Juan Carlos y Linda fueron muy amables; Sarita y yo nos hospedamos en su casa, mientras Miriam acompañaba a José y Daniela en el hospital. Se mantuvieron allí por 25 días. Este tratamiento no nos costó un centavo gracias a la intervención de Linda.

"Si anduviere yo en medio de la angustia, tú me vivificarás; contra la ira de mis enemigos extenderás tu mano, y me salvará tu diestra"

Salmos 138:7

Nuestros tres hijos llegaron a estar muy enfermos. José y Daniela tenían infecciones que los médicos trataban de sanar y Sarita estaba perdiendo peso con una infección menor. Los médicos nos ayudaron a estabilizarlos y a lidiar con los frecuentes padecimientos que se originan por la ataxia, especialmente con los accesos de tos incontrolables que tenía Josecito.

Nos dieron buenos medicamentos, un nebulizador donde se le administraba "albuterol", medicina que lograba tranquilizarlo y muchos otros recursos para cada situación. En esos seis meses José recuperó notoriamente, al punto que empezó a caminar y a subir de peso. Eso alegró nuestro corazón. Obviamente, los doctores nos advirtieron que esto sería temporal pues la enfermedad era degenerativa.

En este punto, el dolor del alma de Miriam empezó a reflejarse en su cuerpo y se comenzaron a manifestar los efectos de tantos años de tensión: de pronto no podía ni siquiera descansar, porque sentía dolor en todo el cuerpo. Llegó un momento en que no podía caminar ni hacer muchas cosas por sí misma.

Por otro lado, los hermanos en Virginia (el área metropolitana de Washington DC) me habían pedido reunirse porque no encontraban una iglesia como la que teníamos en Bolivia, por lo que yo viajaba semanalmente desde Nueva York a visitarlos y ministrarles la Palabra.

Nuestra lucha había quedado definida, ya sabíamos contra lo que estábamos peleando. Nos quedaban solamente dos opciones: un milagro o administrar los días que les quedaban a nuestros hijos para darles la mejor vida posible. Hasta ese día el centro de nuestra vida había sido el servicio a Dios y la iglesia… la prioridad ahora, después de Dios serían nuestros hijos, luego la iglesia y finalmente nosotros.

Enfrentar esta realidad fue muy duro para Miriam y para mí. Ella ya mostraba señales físicas causadas por la presión que sentía por dentro y yo empecé a desmoronarme al ver que mi familia no podría llevar una vida normal.

"Sobre todo, tomad el escudo de la fe,
con que podáis apagar todos los dardos de fuego del maligno".
Efesios 6:16

Para quienes conocen de la existencia de un mundo obrenatural, sabemos de la actividad de los demonios y cómo estos atacan con pensamientos negativos. Un día, cuando regresábamos de haber visitado a los científicos en la van de Linda, se sentía en el ambiente una tensión muy fuerte, todos estaban en silencio. Linda había tenido un día difícil y además de sus obligaciones, tenía la carga de ayudarnos. Podía sentir que éramos una carga muy grande. De pronto vinieron estos pensamientos:

- ***"Mi esposa y yo llevamos la muerte dentro de nosotros... quizá nunca deberíamos habernos casado... No es justo que mis hijos tengan que sufrir por algo de lo que no son responsables... ¿Por qué Dios no hace un milagro?... Esta vida no tiene sentido. No hay salida al final del túnel. Lo que estoy viviendo no es vida, Mis hijos están sufriendo sin esperanza de mejorarse, creo que lo mejor para ellos sería que estuvieran en la presencia de Dios"***

Avanzábamos por la carretera y noté que en esa zona habían muchos puentes y alturas muy grandes mientras mis pensamientos continuaban:

- ***"Voy a rentar un auto, voy a colocar a mis hijos dentro y voy a acelerar de tal manera en algún puente que caigamos al vacío y muramos rápidamente. No incluiré a Miriam, porque ella tiene que tomar su decisión sola. Sé que me ire al infierno, pero mis hijos por lo menos estarán con Dios... iNo aguanto más!"***

De pronto, el Espíritu Santo me dijo:

- ***"¿Dónde está el pastor que le predica a las multitudes***

diciendo:

"¿Qué nos separará del amor de Cristo? Ni la muerte... ni la vida... ni..."

"¿Qué van a decir las miles de personas a las que has guiado en los caminos de Dios? ¿Cuántos de ellos perderán la fe por causa de tu acción?"

"¿Dónde está aquella confesión que hacías diciendo: "En Cristo somos más que vencedores?"

"¿Dónde está el hombre que le dio su vida a Dios y renunció a todo?"

Los pensamientos y preguntas del Espíritu Santo me bombardeaban. Él me habló fuertemente esa noche. No me dio una palmadita en la espalda, sino que me confrontó con los mensajes que yo mismo les daba a las personas cuando predicaba.

Me rendí y le hablé sabiendo que estaba dentro de mí:

- *"Está bien. Está bien. No lo haré. ¡No me suicidaré... pero deja de hablarme de esa manera!"*- Pedí perdón a Dios y le dije que necesitaba Su ayuda. Yo solo no podía llevar esa carga.

CAPITULO 15

Bendiciones Inesperadas

"Jehová haga resplandecer su rostro sobre ti
Y tenga de ti misericordia"

Números 6:25

Habia pasado la fiesta de Acción de Gracias de 1994 y se acercaba el invierno y la Navidad. Juan Carlos nos consiguió una casa en alquiler que compartiríamos con un socio que él tenía y que venía de la China.

¿De dónde conseguiríamos el dinero para pagar la renta? Yo no podía trabajar porque tenía solamente una visa de turista. Los hermanos de la iglesia de Bolivia no nos enviaban nuestro salario. Entonces recordamos aquellos sobres que nos entregaron cuando prediqué en Virginia. Los abrimos y ¡Oh! ¡Sorpresa! Había suficiente dinero allí como para pagar la renta, comprar víveres y cubrir nuestros gastos hasta por cuatro meses.

Dios nos había provisto con anticipación por medio de la generosidad de los hermanos. La ofensa que sentí al recibir los sobres de ofrenda se convirtió en gratitud.

"La persona que estaba al otro lado de la línea dio un grito de júbilo y comenzó a alabar a Dios"

Juan Carlos tenía guardados algunos muebles en un depósito, así que cuando nos trasladamos a la nueva casa, teníamos los enseres básicos, lo cual era suficiente para nosotros. Todos los fines de semana rentábamos un auto y viajábamos a Virginia a ministrar a los hermanos. Ese fue el inicio de lo que hoy es nuestra iglesia: Ekklesía USA.

Al llegar el invierno de 1994 y viendo nuestros limitados recursos, nos pusimos de acuerdo para no hacer nada especial. Me preguntaba:

- *¿Cuántas navidades más les quedarán a mis hijos?*

Miriam y los niños, invierno en Nueva York

El Ejército De Salvación

Nuestras mentes estaban ocupadas intentando alejar a nuestros hijos de las fuentes de infecciones para mantenerlos sanos y, mientras el tiempo pasaba, Linda había entrado en acción otra vez. No podía concebir que mis hijos no tuviesen un festejo de Navidad, de modo que se dedicó a buscar organizaciones, iglesias o instituciones que estuvieran dispuestas a hacer algunos regalos a esta familia de bolivianos que se hallaba lejos de su patria, lejos de sus familiares, lejos de sus amigos y batallando contra una enfermedad que no tenía cura. Para quien escuchara esta descripción, era un cuadro muy triste. Sin embargo, los esfuerzos de Linda no habían tenido resultado alguno. En un último intento, y a escasas semanas de la Navidad, llamó a una iglesia del Ejército de Salvación de la zona. Después de haber explicado la situación, la persona que estaba al otro lado de la línea dio un grito de júbilo y comenzó a alabar a Dios en voz alta. Linda pensó que la muchacha tal vez habría entendido mal y que podría estar pensando que más bien Linda iba a darles regalos...

Una vez que la secretaria se hubo calmado, ella le pudo explicar a Linda que el pastor de la iglesia había tenido una idea loca ese año. Anualmente escogían un barrio de la ciudad para llevarles juguetes en la Navidad. No obstante, este año el pastor había decidido hacer algo diferente: buscarían una familia en necesidad y les harían una fiesta de Navidad. Muchas semanas después, nadie en la congregación había propuesto una familia que estuviera en necesidad, de modo que los miembros de la pequeña iglesia estaban desanimados y parecía que este año no se podría cumplir la idea del pastor, pero la llamada de Linda cambió las cosas.

El día señalado, nuestros hijos recibieron regalos de todo tipo, juguetes y ropa para el invierno. Sumado a esto nos hicieron entrega de quinientos dólares que ayudaron a cubrir los diferentes gastos de la casa. Tuvimos una Navidad maravillosa y sentimos el abrazo y calor del amor de Dios a través de estas personas.
Mientras tanto, nuestra lucha de fe continuaba. Los científicos de Nueva York habían logrado estabilizar a los niños de manera que ahora tenían una vida más llevadera.

En uno de los viajes a Virginia, mientras conducía, yo pensaba:

- *"No entiendo... ¿Qué tengo que hacer?...*
...Señor... Esta carga es muy pesada y grande para mí.
¡No la puedo llevar! ...
Parece que tú no vas a sanar a mis hijos...
... Si yo acepto la realidad de mis hijos...
... ¿Entonces tú me podrás ayudar a llevar esta carga?"

Navidad, 1994. Nueva York

"Está mi alma apegada a ti; Tu diestra me ha sostenido."
Salmos 63:8

Dios habló a Miriam mediante un Salmo que nos ministró profundamente y que de inmediato me hizo sentir una fortaleza y una paz muy grande que me dio mucho ánimo.

A partir de ese momento comenzamos a manejar las cosas de una manera diferente, con una perspectiva distinta y con el conocimiento de que nuestros hijos podrían partir en cualquier momento.

El objetivo de nuestra vida cambió: ya no buscábamos ser unos ministros útiles para Dios como lo habíamos sido hasta ese tiempo, ahora trataríamos de ser los mejores padres posibles para unos niños excepcionales que Dios nos había regalado por poco tiempo. Con ese pensamiento en mente evaluamos nuestra situación. Nos dimos cuenta que en nuestro país el servicio de salud que se ofrecía era demasiado limitado y que nuestros hijos no podrían tener la atención que estaban recibiendo en Estados

Unidos.

Nos comunicamos con los pastores que trabajaban con nosotros en Bolivia y les manifestamos nuestra intención de quedarnos en Estados Unidos. Ellos nos respondieron que teníamos que volver lo más pronto posible. Para ellos solos era demasiada carga hacerse responsables de toda la congregación. No es fácil ser pastor de 12.000 personas. Los pastores decidieron viajar a Nueva York e invitamos a un pastor amigo, J.C. Hedgecock para que de una manera imparcial nos ayudara a tratar el asunto, y luego de extensas charlas concluimos que Dios quería que retornáramos a Bolivia.

CAPITULO 16

"...Y Les Harás Volver

...a la tierra que diste a ellos y a sus padres

2 Crónicas 6:25b

Teníamos unos boletos de ida y vuelta cuya validez era de tres meses solamente. Habíamos estado mucho más tiempo, por lo que esos boletos ya no tendrían vigencia.

Dios me habló muy claro y me dijo: "Nadie, sino Yo te estoy llevando de regreso"

Después de despedirnos de Juan Carlos y Linda, retornamos a Virginia donde estuvimos un par de semanas en casa de Ana Luisa Cornejo, una hermana que nos recibió con mucho amor. Nos despedimos también del grupo de hermanos con los que habíamos empezado nuestra iglesia en Virginia, quienes continuarían reuniéndose semanalmente.

Llegamos al aeropuerto de Miami con los boletos vencidos. En el mostrador de la aerolínea, los empleados nos dijeron que tendríamos que añadir tres mil dólares, cantidad que correspondía a la compra de nuevos boletos. Me señalaron un supervisor con el que tendría que hablar para ver la posibilidad de pagar un adicional y poder utilizar esos pasajes. Miriam y mis hijos estaban sentados junto a las maletas pidiendo a Jesús que nos hiciera un milagro. Yo estaba en la fila observando al personal que atendía a los pasajeros. Una de las supervisoras era una persona de rasgos asiáticos, que estaba de mal genio y todas sus respuestas eran negativas ante cualquier solicitud. Mi oración se intensificaba pidiendo a Dios que no me tocara hablar con ella, hasta que llegó mi turno, y... ahí estaba ella frente a mí.

Con gesto adusto me preguntó acerca de mi solicitud. Le expliqué que nuestra estadía se prolongó por tratamiento médico. Me preguntó por mis hijos y le dije que estaban mejor. Solicitó un comprobante escrito que corroborara mi versión. Fui corriendo a buscar la carta del hospital, que estaba en el maletín de Miriam. La mujer leyó la carta y se conmovió. Me preguntó por una fecha exacta para salir de viaje. Le dije: *"En tres días"*. De pronto su gesto cambió, me sonrió y me dijo:*"Está bien, le estoy activando sus pasajes. No tiene que comprarlos de nuevo"*. Nuevamente me sonrió.

¡Aleluya! ¡Acababa de ver un milagro de tres mil dólares! Me parece interesante que en un principio, algunos de nuestros ángeles de carne y hueso se mostraban hostiles a nuestras necesidades, pero Dios nos ponía en gracia con ellos y al final siempre terminaban con una sonrisa y ocurría un milagro.

Antes de volver a Bolivia. La Florida, USA-1995

Rentamos un vehículo y nos fuimos a Orlando a visitar a

una pareja de amigos: Rick y Bette Strombeck, unos misioneros a los que queríamos mucho. Nuestro deseo era llevar a nuestros hijos a Disney. Rick y Bette nos prestaron un auto y pasamos el día entero disfrutando con los niños en Disney. ¡Fue un día maravilloso!

A los tres días estábamos de regreso a Bolivia. En el avión Dios me habló muy claro y me dijo: "***Nadie, sino Yo te estoy llevando de regreso***" Esa palabra fue muy importante, pues jugaría un papel vital en lo que venía en el futuro cercano.

José, Sarita y Daniela con el Pediatra Neumólogo

El Pediatra Neumólogo de Nueva York nos había dicho que debido a la condición delicada de sus pulmones, nuestro hijo viviría como máximo dos años más, y luego añadió: *"¡Cómo quisiera hacer más por ustedes!"*. Nos vio partir con un dejo de tristeza e impotencia. Parecíamos, como dice la Palabra ***"ovejas llevadas al matadero"***, pero estábamos seguros de que era Dios quien nos estaba llevando y deberíamos hacer las obras que Él había preparado para nosotros de antemano.

Retorné a mi posición de pastor en la iglesia, volvimos

a nuestro apartamento y fuimos atendidos por los médicos que teníamos antes del viaje. Les informamos del diagnóstico que se nos había dado en Estados Unidos y las precauciones y cuidado que deberíamos tener con nuestros hijos. En este caso ocurría algo muy curioso: Los padres de los pacientes enseñaban a los médicos sobre una enfermedad de la que ellos no habían escuchado antes. Esa era la diferencia del nivel de salud de un país a otro, esa era nuestra realidad y Dios estaba con nosotros.

"Por boca de dos o tres testigos se decidirá todo"
2 Corintios 13:1

Era diciembre de 1995, el año en que dos disparos quitaban la vida a nuestro pastor Julio César Ruibal. Lo habían asesinado en la puerta de una iglesia antes de entrar a una reunión de pastores en Cali, Colombia.

Mientras tanto, en nuestra iglesia en La Paz, Bolivia, éramos tres pastores con el mismo nivel de autoridad y decisión. Formábamos un equipo que Dios había usado para administrar la tremenda bendición que estábamos viviendo. Habíamos decidido tener ese tipo de liderazgo como reacción al que recibimos de nuestro pastor fundador, quien era bastante autoritario. Nuestra relación estaba basada en la dependencia de Dios, la transparencia en nuestros actos y la obediencia a los principios bíblicos y a la voluntad de Dios que nos ocupábamos de buscar unánimemente. Junto a los pastores del MFI que eran nuestra cobertura espiritual, decidimos hacer una modificación: A partir de ahora tendríamos un pastor principal y dos co-pastores. La elección cayó en el Pastor Alberto Salcedo.

Como familia, los Peñaloza disfrutábamos una vez más de una vida relativamente tranquila, aunque habíamos convertido nuestro departamento en una pequeña clínica de acceso restringido, manteniéndolo lo más desinfectado y aislado posible, y cuando alguien nos visitaba nos asegurábamos que no estuviese enfermo.

Miriam pasaba en casa la mayor parte del tiempo y solo salía de vez en cuando para tener unos momentos de descanso y poder renovar sus energías. Yo continuaba viajando mucho y trabajando para la visión dentro del nuevo sistema de liderazgo.

Un día le hice una pregunta a Dios: *"Señor... No es un reclamo, ni que esté en desacuerdo con la decisión tomada, así es como deben ser las cosas... simplemente me pregunto: ¿Hay alguna razón en especial por la que no me escogiste como pastor principal?"*

Esa pregunta produjo una respuesta del cielo que no me esperaba: ***"Tu tiempo en Ekklesía Bolivia se ha terminado. Has concluido el trabajo que te encomendé. Quiero que prepares todo lo que tienes en tus manos para entregarlo al otro pastor y estés listo, porque tengo una nueva misión para ti".***

El pastor Salcedo no me creyó; sin embargo, el plan ya estaba en acción y el tiempo de Dios estaba otra vez en movimiento.

Mientras Ekklesía Bolivia enfrentaba nuevos desafíos y era conducido por el nuevo liderazgo, Miriam estaba cargando con la parte más difícil de la salud de los niños. Además de controlar la administración permanente de oxígeno que José requería para entonces, debía organizarse minuciosamente para administrar los antibióticos, controlar las fiebres, pasar varias noches sin dormir y cuidar de las heridas, porque cualquier infección podría llevárselos aun antes del tiempo anunciado por los médicos.

Hay veces en que Dios no nos quita la carga, sino que nos da fuerzas para continuar, haciéndonos entender nuestra misión. Eso exactamente sucedió con Miriam.

Aquellos amigos misioneros que visitamos en Orlando, Florida, los Strombeck tenían una escuela de misiones en nuestra ciudad y habían invertido mucho tiempo en su desarrollo.

Viajaban a Bolivia una o dos veces al año a supervisarlo; ese fue un proceso de 10 años en los cuales desarrollamos una amistad muy bendecida.

"Al siervo se le concede detenerse solo para dar una mirada para atrás, limpiar las lágrimas y retomar el arado y continuar"

Cada vez que llegaban a nuestra ciudad, Bette Strombeck se tomaba una tarde para invitar a Miriam y conversar con ella. Miriam estaba muy cargada y en esta oportunidad aprovechó de hablar y abrir su corazón. eso era suficiente para sentirse mejor. Esperaba algún tipo de consuelo, tal vez una oración de apoyo. La respuesta que recibió vino directamente del cielo y le asignó una nueva misión:

"Miriam tú sabes que la muerte es algo natural que todos experimentaremos. Dios sabe cuándo partiremos. Ahora tus niños también partirán con Dios como todos nosotros. Solamente que Dios les ha dado una vida "cortito".

Como todo padre, tú quieres que tus hijos vayan a la presencia de Dios cuando les toque y tienes el trabajo de prepararlos para ese momento. No puedes perder el tiempo. Debes prepararles lo antes posible para que lleguen a la presencia de Dios".

Después de escuchar esas palabras, Miriam sintió una profunda convicción del Espíritu, entendiendo que Dios le estaba dando la misión de preparar a nuestros hijos para su morada eterna. Tenía muy poco tiempo para hacerlo, pero enfrentó la situación con una nueva motivación, con una nueva misión y con una nueva fortaleza que venía como fruto de haber escuchado un mensaje de los mismos labios de Dios a través de Bette. Desde entonces enseñó a nuestros niños acerca de la casa que tendríamos en el cielo, acerca de las bodas del Cordero y de cómo tendríamos vestiduras blancas y de la segunda venida de Jesús.

Hizo un trabajo tan bueno que mis hijas anhelaban que Jesús volviera pronto, escogían la ropa que querían usar en las bodas del cordero y oraban con la seguridad que estaríamos juntos allí como familia. A pesar de ser tan pequeños, nuestros hijos estaban seguros de su salvación y tenían la certeza de que Jesús les esperaba en la casa que estaba preparando para nosotros.

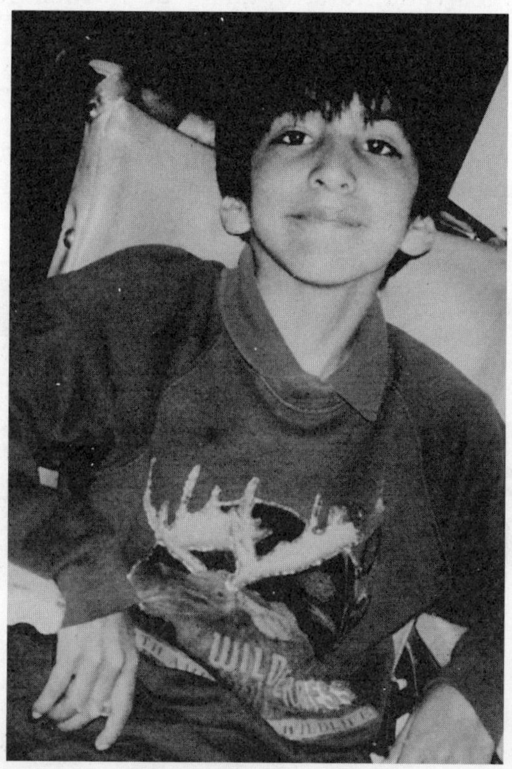

José Esteban, 12 años

Sabíamos que en cualquier momento José Esteban partiría con el Señor. Esperábamos algo sobrenatural. Ese milagro que le devolviera la salud... pero estábamos preparados también para su partida. Lo cuidamos hasta donde pudimos, pero poco a poco su cuerpito se fue deteriorando. El tiempo fue pasando y el año 1996 José usaba una silla de ruedas para movilizarse. Tenía que respirar las 24 horas del día con apoyo de un tubo de oxígeno que aumentaba en cantidad cada vez más. Como no podía moverse por sí solo, tenía que recibir fisioterapia dos veces al día. Ya no pudo estudiar por su condición física. El último año necesitó constante supervisión para sus necesidades.

Miriam portaba una faja fuerte para levantarlo todos los días de la cama a la silla de ruedas y viceversa. Había que cambiarlo de posiciones porque en una sola él se incomodaba... esto lo hacíamos cada hora, de día y de noche. Como Miriam estaba exhausta, tuvimos que hacer turnos por las noches para que ella pudiera recuperar fuerzas y dormir un poco.

José había cumplido 12 años y a pesar de que sus pulmones trabajaban cada vez menos, nunca se quejaba. Era un niño dulce y valiente.

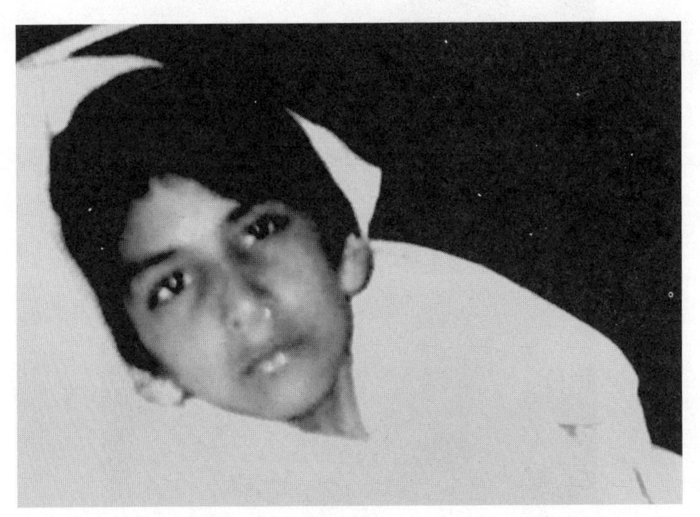

José Esteban, dos días antes de morir

En la noche del 1ro de Noviembre, conversamos acerca de lo que sucedería. Le dije que iba a encontrarse con Dios, que no sintiera miedo porque iba a estar muy bien. No quise que pensara mucho en la idea de la muerte como tal, sino que la viera como un momento especial que todos tenemos para llegar a la presencia de Dios.

La mañana del 2 de Noviembre, al despertar, le pregunté si tenía hambre y me dijo que sí. Miriam le preparó un puré de papaya que comió con dificultad. Le gustaba recostarse en nuestra cama, se acomodaba con la boca hacia abajo y veía la televisión. Llegada la noche estábamos en el dormitorio. José se había dormido viendo sus programas preferidos, noté que estaba respirando débilmente. Las niñas ya estaban en cama, eran como las 11 de la noche. José estaba en sus últimos momentos. Minutos más tarde entregó su espíritu en manos del Senor. Partió pacíficamente, sin dolor, sin sufrimiento y sin una sola palabra. José partió como un hijo de paz.

Dimos aviso a nuestros padres. Bañamos su cuerpecito y lo vestimos con un traje comprado en Colombia que a él le gustaba mucho y le pusimos sus zapatos de tenis preferidos. Dejamos su cuerpito en nuestra cama y dormimos a su lado.

A la mañana siguiente avisamos a los demás. Se organizó un velorio en la iglesia donde miles de personas nos acompañaron. Cientos de ellos pasaron al frente para darnos un abrazo, una palabra de ánimo y derramando lágrimas. Muchos de los pastores de la ciudad nos acompañaron y apoyaron; las palabras de uno de ellos en particular me quedaron en la memoria. Dijo:

"Al siervo se le concede detenerse solo para dar una mirada para atrás, limpiar las lágrimas y retomar el arado y continuar".

Eso fue exactamente lo que sucedió. Al día siguiente se hizo una caravana muy grande. Los niños que estuvieron en la clase de José, vestidos con uniforme escolar, hicieron un callejón en el cementerio Jardín, donde finalmente pusimos a descansar a nuestro primogénito, al hijo que mi esposa había anhelado. Miriam tenía una paz muy grande y no lloraba. Por el contrario, yo no cesaba de derramar lágrimas. Por un lado veía la vida de mis hijos apagarse, pero observaba las de otros miles y miles encenderse gracias a la unción que nos acompañaba.

Durante el servicio fúnebre experimenté altibajos emocionales que eran casi inmanejables. Por momentos alababa al Señor con todas mis fuerzas uniéndome a las voces de mis hermanos. Otros momentos recibía las palabras de consuelo que me daban, pero cuando alguien llegaba y me daba un texto bíblico para darme fortaleza, eso entraba hasta mi espíritu. Me di cuenta del poder que tiene la Palabra de Dios para traer consuelo en momentos como ese... mucho más que las palabras humanas más inspiradas.

".Porque has visto mi aflicción,
Has conocido mi alma en las angustias..."

Salmos 31:7

Ver el rostro pacífico de Miriam era otra cosa. La esposa del pastor Salcedo dijo a mi esposa que ella tenía esa paz porque había cumplido como madre escogiendo estar con nuestro hijo a pesar de sentir un fuerte llamado al ministerio. Había cumplido su misión con José. Ahora nuestro hijo estaba disfrutando de la presencia de Dios.

Era cierto. Miriam había hecho un buen trabajo y el Espíritu de Dios estaba no solo consolando sino también dando a Miriam esa paz que sobrepasa todo entendimiento.

La partida de José no fue sorpresa para nosotros, aunque debo decir que manteníamos la fe en espera del milagro que podría suceder en cualquier momento. Nos quedaba la esperanza, orábamos, teníamos fe en el Dios poderoso y creíamos que se glorificaría en las dos hijas que nos quedaban. Solo necesitábamos que Dios diera la palabra y el milagro se realizaría. Nuestra vida estaba centrada en esa esperanza y en el ministerio de la iglesia, con 12.000 testigos sentados en primera fila.

Lo que no nos dábamos cuenta es que así como estábamos viviendo nuestra vida y como Dios nos fortalecía, habían miles de hermanos que encontraban motivación y ánimo para seguir adelante. Incontables veces nos dijeron que cuando tenían algún problema, pensaban en lo que habíamos pasado y decían: ***"Si el pastor y su esposa pueden seguir adelante en medio de tanta prueba, cómo no voy a poder seguir adelante si mi problema no se compara en lo más mínimo con lo que ellos están pasando."***

CAPITULO 17

GRADUACIÓN en Bolivia

Por ese tiempo la iglesia estaba llevando a cabo una serie de campañas de recaudación de fondos para cubrir los altos costos de mantener una red de televisión en un país como Bolivia, y como resultado de ello muchos hermanos hicieron promesas; ofrendaban joyas, vehículos y diversas posesiones eran depositadas con amor en las ánforas.

En algunos casos, en lugar de ofrendar a la iglesia, Dios dirigía a algunos hermanos a hacer ofrendas especiales a los pastores. Un día se presentó en mi casa un hermano bastante conocido en la iglesia, que era empresario. Luego de saludarme, me entrega un anillo que el mismo usaba casi siempre, diciéndome: *"Dios ha hablado a mi corazón y me ha motivado a regalarte mi anillo."*

La verdad es que yo no le hallaba sentido a la ofrenda, porque nunca he sido aficionado a usar joyas, menos un anillo que lucía ostentoso. El hermano estaba muy motivado de modo que no rehusé la ofrenda.

Más tarde, en un momento de oración, le pregunté a Dios si quería decirme algo con esta ofrenda o era simplemente el amor del hermano. Dios me respondió de una manera inesperada y sorprendente. Me dijo: ***"Ese anillo es por tu graduación, has terminado tu trabajo aquí y yo te he regalado ese anillo, porque has concluido la misión que te encomendé aquí"***.

Sentí un gozo muy grande en mi corazón al escuchar a Dios decirme que había terminado mi trabajo en el lugar donde conocí el evangelio. Este hecho marcaba un hito importante en mi vida.

Le dediqué a Ekklesía Bolivia 22 años. Vi nacer a la iglesia en mis manos; la vi pasar por sus diferentes etapas; la llevé de la mano por momentos de crisis y la vi alcanzar su momento de gloria.

Empecé a sentir la enorme satisfacción que siente un padre cuando ve a sus hijos lograr metas en su vida; así me sentía con relación a mi iglesia.

Había llegado el momento de dejarla caminar por sí misma y eso me producía un sentido de alegría y satisfacción que solo aquellos que son verdaderos padres espirituales pueden sentir. Entendía el amor de Pablo por las iglesias que plantó y edificó siendo para ellas su autoridad y apóstol.

En lo natural partía mi hijo mayor… en lo espiritual dejaba a mi hija mayor, Ekklesía Bolivia, en manos de quienes a partir de entonces serían sus pastores.

Sara Consuelo

Habían pasado dos semanas de la fecha en que José había partido a la presencia de Dios. Quedábamos Sara, Daniela, Miriam y yo. La iglesia estaba en plena transición de su liderazgo al nuevo modelo que implementamos, cuando un día recibimos una llamada de uno de nuestros ángeles. Linda había continuado con el compromiso que se hizo a sí misma de ayudar a mis hijos. Para entonces ya se había descubierto en Israel el gen defectuoso que causaba la enfermedad, lo cual comenzaba a producir una serie de cambios en cuanto al manejo y apoyo de las familias que tenían esta condición genética. Muchas organizaciones dedicaban ahora recursos para investigar la enfermedad, tales como el mundialmente reconocido Hospital John Hopkins de Baltimore en Maryland quienes habían instalado una clínica para ayudar a los pacientes con esta enfermedad.

Hospital Johns Hopkins, Baltimore, Maryland

La llamada de Linda, no obstante, era preocupante. Había enviado al Hospital Johns Hopkins unas fotos recientes de Sarita, mostrando una inflamación en la piel y una serie de granos que le habían salido en la carita y el cuerpecito. Nuestra hija estaba durmiendo mucho más tiempo de lo normal, se mantenía hinchada y tenía una extraña alergia. Se notaba que algo le estaba sucediendo. Linda dijo que los médicos habían visto las fotos de Sarita y decían que debía presentarse a la brevedad posible en el hospital.

No habíamos terminado de llorar a José y otra vez nos encontrábamos al borde de un cambio radical en nuestras vidas. No había tiempo que perder. Como las veces anteriores, Dios proveyó los recursos de manera sobrenatural para realizar el viaje. Inicialmente pensamos ir solamente Sarita y yo, pero a Miriam no le gustaba la idea. El 6 de Diciembre de 1996 estábamos pisando suelo americano nuevamente, dejando atrás a dos de nuestros hijos enterrados, una iglesia que estaba en la plenitud de su avivamiento y una familia que no podía comprender que estaba sucediendo en nuestras vidas.

"En la calamidad clamaste, y yo te libré; te respondí en lo secreto del trueno; te probé junto a las aguas de Meriba"
Salmos 81:7

Linfoma Maligno

Llegamos esta vez al estado de Maryland. La familia Bejarano nos recibió en su departamento; ellos habían sido parte de la iglesia en Bolivia y habían emigrado dos años antes que nosotros. Eran seis personas viviendo en un apartamento: Los padres, tres hijos y un sobrino que vivía con ellos. Nosotros éramos cuatro, pero fuimos recibidos con mucho amor. Nos abrieron los brazos y a pesar de que éramos varias personas viviendo en un apartamento, para ellos no era problema sufrir incomodidades y ver su espacio reducido. Sentimos el amor en Cristo y el respeto que nos tenían como pastores.

El hospital me había comunicado que el tratamiento costaría quince mil dólares, pero que llegara con 6.000 y que el resto lo podíamos pagar de a poco. Dios había provisto milagrosamente ese dinero y llegamos para comenzar nuestra nueva odisea. Habíamos pensado que estaríamos un máximo de dos meses en Estados Unidos, pero únicamente en los análisis para determinar lo que afectaba a nuestra hijita, demoraron ese tiempo.

Después de varios exámenes concluyeron que el problema de Sarita no era de la piel, por lo que tuvieron que cambiar el proceso y por consiguiente los gastos sufrirían un incremento repentino.

Como era necesario comunicarnos con los médicos y debido a mi conocimiento del idioma, me tocó ir a vivir al hospital con Sarita. Ella, como siempre, estaba feliz de tener a su papi al lado; era la primera vez que yo pasaba tanto tiempo con ella, así que mi corazón comenzó a abrirse al amor de Sarita.

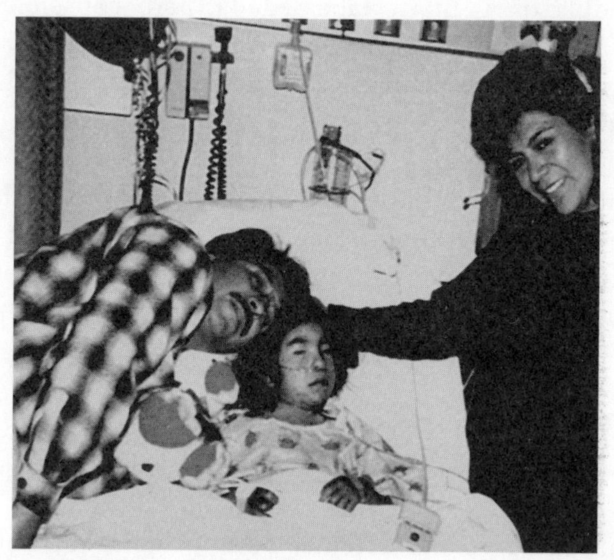

Carlos, Miriam y Sarita en el Hospital Johns Hopkins

El dinero que llevábamos para el tratamiento de piel se había agotado. Los médicos decidieron hacer otro tipo de exámenes que tenían que ver con una biopsia de la médula ósea y muchos otros.

La medicina en los Estados Unidos es algo muy diferente de lo que es en mi país; algo que siempre me sorprendía era que los médicos y las enfermeras tenían especial cuidado que los niños no sufrieran traumas, inseguridad ni dolor adicional al que ya experimentaban con su condición presente. Gracias a ello yo podía estar presente en todos los exámenes al lado de Sarita, quien se sentía segura y confiada, porque tenía a su papi al lado cuando le hacían los diferentes análisis... eso era muy bueno para ella.

"¡Ya no más! ¡Déjenla! ¡Ya no quiero que la hagan sufrir más!"

El peso de sufrir con ella todos los procesos me tocaba a mí, en particular cuando Sara tuvo que pasar por la biopsia de la médula ósea. Ella estaba sedada, pero consciente. No lo recordaría después. Yo, por el contrario, estaba muy consciente a su lado tomándola de la manito. Podía ver, sentir y sufrir el dolor de mi Sarita.

En más de una oportunidad estuve a punto de decir a los médicos que detuvieran el tratamiento, porque la niña apretaba sus manitos contra las mías con toda su fuerza. Lloraba con un sentimiento muy profundo y yo me deshacía por dentro a punto de decir:

-*"¡Ya no más! ¡Déjenla! ¡Ya no quiero que la hagan sufrir más!"*.

Sin embargo me detenía, porque sabía que sólo de esa manera podríamos conocer lo que realmente estaba sucediendo con nuestra niña. Una vez más teníamos que sufrir el dolor físico del momento para que alguna luz de esperanza apareciera... para que pudiéramos lograr un bien mayor, que sería una mejor condición para Sarita.

Lo que ocurría con nuestras hijas era tan excepcional, que pasaron a ser objeto de estudio dentro del hospital. Especialistas e ingenieros genetistas se dieron a la tarea de buscar la raíz del mal a través de exámenes de laboratorio practicados en ellas. Nuestra sangre fue analizada una y otra vez.

De acuerdo a los científicos existe la posibilidad de que el 25% de los hijos de los portadores contraigan la enfermedad, pero en nuestro caso fue el 100%. En una oportunidad, mientras nos dirigíamos al consultorio, pregunté a dos ingenieras genetistas: *"¿Por qué?"* Ellas respondieron: *"¡Extrema mala suerte!"* Inmediatamente se libró una lucha en mi interior, pero el Espíritu Santo de Dios me dijo: ***"Cada uno de tus hijos fue planificado y enviado con un propósito a este mundo."*** Inmediatamente la paz del Señor me llenó y me dio tranquilidad.

Luego de muchos exámenes, algunos sumamente dolorosos, los médicos llegaron al diagnóstico de lo que estaba sucediendo con mi niña. Se trataba de un linfoma maligno en la médula ósea que hacía que su organismo hiciera más denso el plasma sanguíneo y a su vez producía el problema de la piel y otros daños físicos.

Este particular tipo de cáncer no se había presentado hasta el momento en una niña. Se trataba de un linfoma que atacaba únicamente a varones de 60 años o más. Nunca había sido tratado a nivel pediátrico.

El médico me dijo que lo mejor que podían hacer era acomodar las seis dosis de adulto para el cuerpecito y edad de Sarita. También nos dijeron que recibiría otro tratamiento adicional, que consistía en conectar a Sarita a una máquina que separaría el plasma de sus glóbulos rojos y lo reemplazaría por un plasma bueno. Para lograrlo le colocarían un catéter en una arteria cerca del corazón, lo que evitaría que Sara tuviera que ser pinchada con una aguja cada vez que necesitara el tratamiento. Ese catéter, llamado Hickman, facilitaba el trabajo y evitaba dolor en la niña, pero requería que se lo mantuviera estéril y cada tres días debía ser desinfectado, limpiado y vuelto a cubrir solo dejando los contactos. Esa limpieza tenía que realizarla una enfermera, pero nosotros no teníamos seguro, de modo que las enfermera me entrenaron para que yo lo pudiera hacer. Me cubría la nariz y la boca con mascarilla estéril, lavaba mis manos cuidadosamente y luego me ponía guantes estériles, abría un paquete de material quirúrgico y comenzaba el proceso que duraba unos treinta minutos. Cada tres días realizaba el trabajo con mucho cuidado y amor, y nuestra Sarita se sentía segura porque era su papi quien la estaba cuidando.

Yo temblaba y transpiraba cada vez que lo hacía, porque si me descuidaba en lo más mínimo, la infección entraría directamente en el torrente sanguíneo y la vida de mi hija correría riesgo. Era una ceremonia que la familia observaba a la distancia, pero que se fue haciendo costumbre al punto que en una oportunidad cuando estábamos en el hospital y era hora de la limpieza, las enfermeras comenzaron ese trabajo, pero Sarita se negó a ser tocada. Cuando le preguntaron la razón, ella respondió:

-*"Yo quiero que mi papi lo haga"*

Las enfermeras dijeron: *"¡Claro! ¡Dejemos que papi lo haga!"*.

Ese día traspiré el triple, porque tuve que hacerlo delante de las enfermeras. Al final me felicitaron y me dijeron que si quería, podría trabajar en el hospital como enfermero... por supuesto que estaban bromeando....

Sarita nunca se infectó, lo que significó que hice un buen trabajo. Cuando pensaba que hasta allí llegaría mi participación del cuidado médico de mi hija, los doctores me dijeron que era necesario colocar diariamente unas inyecciones a la niña. Tenían que ser colocadas en el bracito o en la piernita. Al recibir la instrucción para administrar esas inyecciones en persona, mi reacción natural fue responder:

-*"¡Nunca he puesto una inyección!"*, pero la enfermera, como si fuera la cosa más sencilla del mundo, me dijo:

-*"¡Yo te enseño!"* Acto seguido, me explicó cómo hacerlo en una naranja. Yo dije:

-*"Entiendo... pero creo que será diferente hacerlo en un cuerpo humano"*. Su respuesta fue:

-*"Bueno. ¡Prueba conmigo!"*, y se levantó la manga de la blusa que cubría su brazo y me dio la jeringa para que se la pusiera. Jamás habían temblado tanto mis manos. El sudor frío me invadía. ¡Tenía que hacerlo! El bienestar de mi hija dependía de eso.

Dios bendiga a esas enfermeras. Más de una vez fueron mucho más allá de lo que deberían y mostraron una sensibilidad que hasta el día de hoy me conmueve.

Pasé a ser el enfermero de cabecera de mi hija. Me volví un experto en curaciones e inyecciones y Sarita se sentía siempre segura con su papi. Mi corazón y el de Sarita se hicieron uno solo, y comencé a amar a mi hija de una manera muy profunda; los sentimientos que me hacían separarla de mí se esfumaban. Ahora estaba luchando por ella con todo lo que tenía en mis manos. Otra vez tenía fe, motivación y todo mi ser estaba en pie de guerra esperando que algo bueno resultara de todo esto.

Para tratar el linfoma maligno en la médula de sus huesos, los médicos dijeron que se necesitaría un tratamiento de seis sesiones de quimioterapia. La primera dosis produjo un resultado maravilloso y la piel se le limpió completamente. Sarita estaba alerta y activa. Yo, feliz, cuando estábamos en casa, tomaba la guitarra y ella venía de donde fuera que estuviera para estar a mi lado, escuchar y recostar su cabecita en mi hombro. Fuera en la casa o en la iglesia, siempre era evidente su felicidad cuando las alabanzas empezaban a levantarse hacia nuestro Padre.

Un mes después llegó el momento de la segunda dosis. Produjo buenos resultados, pero la debilitó un poco, de modo que tuvimos que limitar su contacto con las personas para que no se contagiara, lo que para ella hubiera sido fatal.

Después de unos exámenes, la oncóloga nos buscó para darnos el resultado y nos dijo que no habían encontrado rastros del linfoma. **¡Había desaparecido por completo!**

Sentimos que Dios estaba haciendo el milagro y había mucha alegría en nuestros corazones. Dimos aviso inmediato a los hermanos en Bolivia. **¡Todos estábamos completamente felices!**

CAPITULO 18

EL VESTIDO

La Santa Cena y el Encuentro con *Dios*

Era invierno de 1997. El pequeño grupo de creyentes que se reunía con nosotros era nuestra única actividad ministerial. Aproximadamente unas veinte personas nos reuníamos los sábados por la noche; la presencia de Dios se sentía de igual forma como se sentía con 3.000 personas reunidas en cada uno de los cuatro servicios en la Casa de la Casa en nuestra Bolivia natal, porque Su presencia no depende del número de personas, depende de ofrecerle una adoración genuina.

> ***"Cuando regresemos a Bolivia, ella lucirá ese hermoso vestido y la presentaremos sana ante toda la congregación." ¡Estaba tan hermosa!***

Días antes yo había prometido a Sarita que si accedía a otro tratamiento que no quería recibir, la dejaría ir al centro comercial con su mamá para que le comprara lo que quisiera. Ella accedió al "soborno" y se hizo el examen.

En el centro comercial escogió un vestido azul floreado que era muy bonito, con un sombrero y guantes blancos que hacían juego. Cuando en casa se probó el conjunto, yo pensaba:

- *"Cuando regresemos a Bolivia, ella lucirá ese hermoso vestido y la presentaremos sana ante toda la congregación."* ¡Estaba tan hermosa!

Aquel sábado en particular estaba bastante frío. Miriam y yo decidimos que yo iría solo a la reunión. Habíamos preparado la Santa Cena que para nosotros era todo un acontecimiento, pero no quería llevar a las niñas porque Daniela estaba con fiebre y con Sarita la cosa era muy complicada. Debido a la quimioterapia, su sistema inmunológico estaba debilitado, por lo que teníamos que proteger sus vías respiratorias colocándole un barbijo o filtro protector, cuidarla y abrigarla porque la mlnima infección podría tener fatales consecuencias.

Cuando Sara escuchó que no iría, se puso a llorar, porque decía que quería participar de la cena del Señor. Miriam y yo pensamos que ella esperaba que hubiera comida en la reunión y posiblemente postre, de modo que para desanimarla, le explicamos que solo compartiríamos un trozo de pan y vino, y que definitivamente no habría otro tipo de comida. Ella respondió con una seguridad que me sorprendió: *"Yo sé, y quiero ir"*.

Decidimos que Miriam se quedaría en casa con Danielita y yo iría con Sarita. La reunión fue muy hermosa. Ese día éramos un grupo de unos quince hermanos; luego de bendecir el pan, una hermana se aproximó para decirme que Sarita quería participar de la Santa Cena. Pregunté a mi hija si ese era su deseo, advirtiéndole que el vino tenía un sabor desagradable. Ella, con la mayor solemnidad, me respondió:

-*"Papi, yo quiero participar."* Accedí (***...porque de los tales es el reino de los cielos. Mateo 9:14).***

Cuando bendije el vino, observé a Sarita. ¡En su rostro había un brillo tan especial! Participó de la cena del Señor con una expresión de tal consagración y solemnidad que se podía percibir claramente lo que para ella significaba. Supe que Sarita tuvo allí su encuentro sobrenatural con su Señor. Era uno de esos momentos celestiales donde uno toca la eternidad y estaba sucediendo con mi hija; algo tan especial que era imposible de ignorar. Era el momento de preparación para lo que le esperaba en solo unos días más. Se trataba de algo tan solemne como el instante en que aquella mujer lavó los pies de Jesús, los enjugó con sus cabellos y nuestro Señor dijo a sus discípulos, ***"dejadla, que para mi sepultura ella lo hizo...".*** Ellos no habían entendido que se trataba de un acto profético.

Sarita estaba renovando su pacto con Jesús, en preparación para encontrarse con Él en pocas semanas más.

Ella me había pedido estrenar aquel vestido tan lindo que se compró, pero yo la desanimé de hacerlo. Esa es una de las pocas cosas que hasta hoy me pesan, porque Sarita sólo pudo estrenar su vestido el día de su entierro... yo le había impedido que lo hiciera el día de su pacto con Jesús.

Consumado Es

Cuando nuestro amado salvador estaba en la cruz, llevando nuestros pecados y para cumplir con la justicia de Dios exclamó: ***"Consumado es."*** Luego entregó el espíritu. No hubo necesidad de que Jesús estuviese un minuto más en la tierra. Su obra estaba concluida. Esta verdad se me hizo realidad cuando entendí que la misión de Sarita había terminado y que no había necesidad de mantenerla un solo minuto más en esta tierra. Mi corazón había sido sanado de un dolor del cual ni yo mismo era consciente: El dolor de pensar que al amar a mis hijos les produciría la muerte.

Ahora yo estaba completamente sanado. Amaba con una intensidad muy profunda a mi hija Sarita. Admiraba la valentía que mostraba para enfrentar tantos exámenes, tantas limitaciones, pero a pesar de todo ser feliz, porque tenía a su papi - a quien amaba muchísimo - sólo para ella durante todo ese tiempo.

El amor que Sarita me daba era tan inmenso que en una ocasión se enteró que yo tenía que efectuar un viaje, y pidió a su madre permiso para ayudarla a preparar mi maleta. Miriam me contó que a pesar de que los deditos de Sarita estaban un poco encorvados por la enfermedad y le costaba mucho trabajo moverlos con libertad, dobló y abotonó mi camisa en un tiempo considerable, pero lo había hecho con todo el amor que Dios le había dado. Estando en el hotel, al ver la camisa y recordar el esfuerzo que a mi hija le había costado abotonarla, me la puse con lágrimas en los ojos. La usé para predicar a una multitud y sé que esos momentos Dios me miraba.

Con todos esos detalles Sarita se fue ganando mi corazón hasta el punto en que llegué a amarla de una manera que no puedo describir. Tocó mis sentimientos y se convirtió en lo más preciado para mi vida y su sufrimiento constituía mi propio sufrimiento.

Sara vino para amar y para dar sin esperar nada a cambio. Ella fue el instrumento en manos de Dios para confirmar la sanidad de mi corazón y me enseñó a amar otra vez. Los meses que más aprendí a amarla y apegarme a ella fueron precisamente los que permaneció en el hospital.

Sarita se encontraba muy bien, de modo que decidimos que era momento para regresar a Bolivia con nuestras dos hijas. Comunicamos esto a los médicos, y ellos nos respondieron que no había problema, pero como estábamos tan cerca de la fecha en que debía recibir la tercera dosis de quimioterapia, se la aplicaríamos para que las otras tres se las dieran en Bolivia. Nos pareció una buena idea y así lo hicimos.

Era Marzo de 1997 y habiendo Sarita cumplido 7 años, recibió su tercera dosis de quimioterapia. Los pacientes que son sometidos a este tipo de tratamiento, sufren una baja de glóbulos blancos y surge la necesidad de recibir transfusiones de sangre, porque se producen continuas hemorragias.

Habíamos hecho ya varios viajes al hospital para este proceso. Nos encontrábamos en la carretera. Sarita estaba a mi lado, recostada sobre el asiento de la camioneta que amorosamente me prestaba el sobrino de la familia que nos hospedaba. Estábamos escuchando música cristiana en idioma inglés cuando Sarita me dice: *"Papi mira"*. Un coágulo de sangre enorme salía de su boquita. Lo tuve que recibir en mi mano, mientras conducía. En sus ojitos había una mirada de temor. Sacando fuerza de donde no había, le dije:

-*"Está bien hijita, no te preocupes, vamos al hospital para que te ayuden, todo va a estar bien"*

Una sensación de frío corrió por mi cuerpo y una preocupación enorme me inundó, mientras tenía aquel coágulo de sangre en mi mano. *"¿Dios mío... y ahora qué nos espera?"*

Sarita se sintió más tranquila con las palabras que le dije. Ahora era yo el que estaba asustado, preocupado... me sumí en un profundo silencio, sólo para encontrar un eco vacío que no daba respuesta. Sólo silencio y la presencia de ese temor que lo hace a uno sentirse impotente, indefenso y vulnerable.

El CD de música continuaba sonando. La camioneta iba velozmente por la autopista 95 en dirección a Baltimore y mi corazón automáticamente entraba en un estado de emergencia que ya era muy conocido para mí. El hambre desaparecía, el tiempo no existía, el sueño era ignorado a menos que el cuerpo ya no diera más.

"He conocido padres muy malos, que abandonan a sus hijos, he conocido padres buenos, y padres normales, pero ustedes son padres excepcionales, déjenme decirles que les admiro"

Solamente un pensamiento: hacer lo imposible para que Sarita se sienta bien. Eso era todo. Internaron a Sara. Recibió inmediatamente la transfusión de sangre que necesitaba, pero descubrieron que en sus pulmones había algo que le estaba produciendo fiebre, posiblemente un virus, tal vez una neumonía. Estuvo unos días en una sala de tratamiento regular, hasta que entró en crisis y tuvieron que llevarla a terapia intensiva. La sedaron y tuvieron que intubarla para que la máquina respirara por ella. Allí quedé sumido en una profunda sensación de interrogante tristeza y batalla por la vida de mi hija. Decidí entrar en un ayuno prolongado buscando su sanidad; transcurrieron 8 días y yo pasaba las horas y los días a su lado sin ningún cambio positivo; la enfermera me insistía que descansara; a ratos me echaba de la habitación. Me decía:

-*"Descansa un poco. ¡Ve a comer!"*. Nada era importante para mí. Yo me hallaba clavado al lado de la cama de Sarita, mi Sarita, la que sanó mi corazón. Ahora la estaba viendo apagarse como una velita.

Habían pasado varios días y su condición no cambiaba. Me estaba apagando con mi hija hasta que la enfermera me dijo que no había necesidad de mi presencia allí. Si había algún cambio me llamarían.

El 17 de Abril, estando en casa con Miriam y Daniela, escuchamos sonar el teléfono. Era una llamada del hospital, necesitaban que me presentara urgentemente. Algo había sucedido.

Cuando llegué, llevaban a Sarita para hacerle una tomografía de la cabeza. Había sufrido una crisis. Cuando pregunté al técnico que la llevaba por el motivo de este examen, me respondió:

-*"Esto nos permitirá tomar decisiones"*.

Luego del examen los médicos me llamaron y me dijeron:

"Inicialmente los pulmones no estaban respondiendo y no hemos podido mejorar eso; luego el hígado comenzó a mostrar problemas y lo manejamos un poco; ahora los riñones comenzaron a trabajar mal, tres sistemas funcionando mal es algo que no podemos manejar. Además, ella está más del otro lado que aquí. Ella ya no regresará. Es momento de que tome la decisión. Hay que

desconectarla".

Fui a casa a recoger a Miriam para estar juntos en un momento tan serio. El director de terapia intensiva se nos acercó, y nos dijo las siguientes palabras:

-*"He conocido padres muy malos, que abandonan a sus hijos, he conocido padres buenos, y padres normales, pero ustedes son padres excepcionales, déjenme decirles que les admiro".*

Para este momento casi todas las enfermeras, médicos y estudiantes nos conocían muy bien. Habíamos pasado por las manos de muchos de ellos y estábamos en el momento más difícil de todo el proceso.

La sala estaba llena de médicos y enfermeras, mientras me explicaban todo lo que habría de suceder; vi como Miriam se separó del grupo, parándose al lado de la cama en la cabecera de Sarita y comenzó a decirle estas palabras, que alcancé a escuchar:

-*"Sarita, hoy vas a partir. Hoy vas a ver a nuestro Señor. Hoy vas a entrar en nuestra casa en el cielo. Quiero pedirte algo especial: Cuando veas al Señor Jesús, quiero que le pidas que ayude a tu papi a soportar tu partida. Estoy muy preocupada por él. No creo que vaya a poder superar el sufrimiento de tu partida, así que quiero que lo primero que hagas cuando llegues al cielo es pedir a Jesús que ayude a tu papi, ¿Ok mi amor?".*

Me quedé en silencio sin comentar nada, solo pensaba dentro de mí: "*¡Mi mujer está loca!*". Ya todo estaba dispuesto y las enfermeras procedieron a desconectar a Sarita.

Apagaron los aparatos que la mantenían con vida, y la pusieron en nuestros brazos esperando que su corazoncito dejara de latir. Cuando llegó el momento, Sarita estaba recostada en los brazos de su madre conmigo a su lado. Nos hicieron ponerla en la cama y esperaron un tiempo que fue totalmente nuestro. Miriam acariciaba la cabecita de Sarita, la acomodaba como solo ella lo sabía hacer y cuando sentimos que ya nada podíamos hacer, salimos de la sala de terapia intensiva y nos fuimos.

CAPITULO 19

JOB

Miriam y yo bajamos a la cafetería del hospital. Estábamos frente a frente, ambos metidos en nuestros propios pensamientos. Miriam había pasado todo este sufrimiento a mi lado sin quejarse, sin lamentar ni cuestionar. Ella era la única a quien podía hablar la verdad de mi corazon sin temor. Desde lo más profundo empecé a sacar mi frustración. Le dije algo así:

"Estaba repitiendo las palabras que Job dijera en medio de sus pruebas"

-*"¿Por qué Dios se ensaña conmigo?... ¿Por qué me trata como su enemigo?... ¡Lo único que yo hice fue servirle desde que me convertí!... Si Él deja de mirarme yo ya no existo... ¿Por qué no me hace desaparecer de una vez y para siempre?... ¿Qué quiere de mi?... ¡No entiendo nada!"*

Sin darme cuenta, estaba repitiendo las palabras que Job dijera en medio de sus pruebas.

Más tarde Miriam me contó que ella me respondía y trataba de consolarme. Yo no recuerdo nada. Solo recuerdo verla quedarse sin palabras. Tal vez no tenía oídos. Solo necesitaba expresar mi dolor y desconcierto por la falta de resultado de las oraciones, ayunos y todas las cosas que había aprendido durante los años de ministerio que funcionaban y hacían milagros para tanta gente que ministramos, pero que para mí no producían nada.

Regresamos al departamento donde estábamos

hospedados y comunicamos a los hermanos que nuestra niña había fallecido. Ellos, como era natural, lloraron y nos acompañaron en nuestro dolor.

Funeral, Visión y Consuelo

De pronto me di cuenta que no podía quedarme paralizado por mi dolor. Era quien tomaba las decisiones. Repentinamente me di cuenta que teníamos que enterrar a nuestra hija y no sabía a quién acudir; no sabía cómo era el trámite en este país ni tenía idea alguna de los costos. Era algo nuevo que tendría que aprender enterrando a mi propia hija. ¡Sentía una sensación de impotencia tan grande! No sabía qué hacer, a dónde ir, a quién clamar. ¿Cómo entierras a un ser querido en un país que no es el tuyo, en un lugar del que no conoces las leyes ni los procedimientos para hacerlo? ¡Qué dilema! ¡Qué dolor! ¿Qué hacer?...

Recordé que la familia que nos había hospedado en su casa la primera vez que llegamos a EE.UU., había enterrado en Virginia a la mamá de la esposa, y que probablemente podrían darme algún consejo. Los llamé y me dieron el teléfono de una señora colombiana que nos ayudó muchísimo. Ella se convirtió en otro ángel. Vino a nuestra casa para guiarnos y nos ayudó a conseguir una casa funeraria que se encargaría de todo el proceso. Al preguntarle cuánto nos costaría, me dijo que serían cinco mil dólares. ¡En ese momento me sentí desmayar! ¡No teníamos esa cantidad de dinero! No sabía lo que pasaría. Me aterraba el hecho de no poder enterrar a mi hija. Le dije que no tenía el dinero para pagar y ella empezó a buscar soluciones. Me dijo:

-*"Bueno... Vamos a recortar todo lo posible para ver a cuánto podemos llegar... ¿En qué iglesia haremos la ceremonia en memoria de la niña?"*. No tenía idea, no conocía ninguna iglesia. Solamente podríamos hacerlo en el cementerio.

-*"Eso nos ahorra unos cuatrocientos dólares. ¿Cuál será el pastor que celebre el funeral?"* Le dije que yo era pastor y que yo mismo celebraría el funeral. Ella me respondió:

-*"Bien, ahí ahorramos otros 400"*. Continuamos la charla y finalmente llegamos a la cantidad mínima que me podría costar el funeral: tres mil dólares. No los tenía. Ella ya no podía encontrar una mejor manera para ofrecer un precio más bajo.

Entonces recordé que Juan Carlos, esposo de Linda y hermano del pastor con el que trabajamos en Bolivia, me había dicho varias veces que alguien había enviado una ofrenda para mi desde Bolivia. Él había postergado por meses el envío. Pensé que la cantidad que fuese, ayudaría para los gastos, así que lo llamé por teléfono.

Le mencioné que la niña había fallecido y le dije si era posible que me enviara la ofrenda aquella. Me dijo que la enviaría al día siguiente. Cuando le pregunté por la cantidad, me respondió que eran tres mil dólares. Dios había provisto para aquel momento y en su sabiduría permitió que esa ofrenda fuese enviada justo cuando la necesitábamos. Su mano estaba obrando en medio de nuestro sufrimiento.

Llamé por teléfono a la señora colombiana diciéndole que ya tenía el dinero, que llegaría al día siguiente. Hicimos una cita para ir a conocer el cementerio y escoger el lugar donde queríamos que enterraran a nuestra hijita.

Llegamos al lugar que se llama Jardín de los Recuerdos que está en la ciudad de Laurel en el estado de Maryland, escogimos un lugar bonito cerca de un árbol. El director de la funeraria nos dejó en el mismo lugar donde enterraríamos a Sarita. Cuando se fue, quedamos los tres últimos miembros de la familia Peñaloza: Miriam, Daniela y yo. Habíamos sido una familia de seis y ahora éramos solo la mitad. Meditábamos en eso y de pronto comencé a sentir una alegría en mi corazón que no podía entender. Luego sentí un orgullo tan grande como que algo muy especial había sucedido. Acto seguido vino una visión:

Yo estaba suspendido en el aire, porque miraba de arriba hacia abajo; a mi izquierda, a una cierta distancia, se veían unas gradas de madera que subían como sobre una pirámide y al final de la misma había una luz muy poderosa. Yo sabía que Dios estaba ahí, con las manos extendidas.

Del principio de las escaleras y a ambos lados de una calle de tierra, se encontraban personas expectantes como si estuvieran esperando a alguien importante.

Al principio de la calle se encontraba Sarita vestida con un traje blanco como transparente. En su cabecita tenía ramas de laurel y olivo a semejanza de los antiguos campeones olímpicos. Comenzaba a caminar por medio de la calle con un aire triunfal mirando a un costado y yo, su padre, me hallaba suspendido en el aire mirando en perspectiva lo que sucedía. Sentía que mi corazón se llenaba de orgullo y satisfacción, como cuando un padre presencia la entrega de una medalla ganada por su hija. Ese era exactamente mi sentimiento.

Cuando terminó la visión, miré a Miriam y le conté lo que había visto. Ella me dijo que no vio nada, pero que sentía el mismo gozo y orgullo. Nos dimos cuenta que Dios nos permitió ver y sentir en el Espíritu lo que estaba sucediendo con mi hija. Ella estaba entrando en el gozo de su Señor y subía las escaleras para estar con El. Ya había recibido su premio. Había cumplido su trabajo en la tierra y ahora le esperaba la corona de gloria y la recompensa que Dios le tenía guardada por su buen trabajo.

Ahí entendí que Sarita fue enviada para consolarme y lo había logrado de tal manera que aun en su partida no dejó dolor. Inmediatamente después de finalizada la visión, desapareció de mi corazón todo dolor y tristeza. Aunque aquí en la tierra iba a enterrar el cuerpecito de mi niña, Dios ya me había hecho ver lo que sucedía en el cielo, y allí la cosa era muy diferente: mi hija caminaba con su recompensa, y no tenía en su rostro ninguna señal de dolor ni tristeza... todo lo contrario.

Estaba llena de gloria y una sensación de misión cumplida... o para decirlo en términos bíblicos... CONSUMADO ES, como nuestro amado Señor lo hizo en la cruz.

Daniela, Miriam y yo salimos del cementerio felices, alabando a Dios y cantando. Habíamos tenido en el cementerio un contacto con la eternidad y Dios había sanado nuestra herida, cambiado nuestro lamento en gozo y nos había abierto los ojos para ver lo que estaba sucediendo en el cielo, mientras simultáneamente consolaba y sanaba nuestro corazón. Sarita había cumplido el encargo que su mami le había hecho, pidiéndole a Dios que me ayudara, y Él - en su misericordia – respondió su pedido permitiéndome ver lo que estaba sucediendo en el cielo, una realidad más profunda que la muerte temporal que estábamos experimentando. Nuestro consuelo vino de la vida más allá de la muerte, nuestra realidad presente era solo temporal, nuestra verdadera realidad eterna estaba más allá de la muerte.

"¿Dónde está, oh muerte, tu aguijón?
¿Dónde, oh sepulcro, tu victoria?"

1 Corintios 15:55

Entendimos que en la tierra Sarita había terminado su trabajo, pero que en el cielo comenzaba una nueva vida. Eso nos consoló, porque sabemos que ella sólo duerme, pero su espíritu y el de todos mis hijos vive y con certeza los veremos cuando Cristo venga o cuando nos toque partir a nosotros también.

Celebramos el funeral dos o tres días más tarde, asistieron aproximadamente unas 15 personas. Entre ellas, el Dr. Finkelstein del Hospital John Hopkins y una enfermera.

En mi mensaje dije algo que el doctor me dijo que nunca había escuchado. Era lo siguiente: *"Muchos padres les dan a sus hijos cuerpos saludables, otros les dan cuerpos atléticos, otros, como en el caso nuestro, les damos cuerpos enfermos; pero Dios les dio a nuestros hijos un espíritu perfecto. Nuestros hijos cumplieron en breve tiempo el propósito por el cual fueron enviados a esta vida".*

Han pasado 12 años de la partida de Sarita y nunca hemos sentido el dolor de su partida; siempre la recordamos con cariño y en su memoria establecimos lo que se denomina "Hogar Sarita", un ministerio que alberga niños abandonados en Bolivia, niños que cuidamos y educamos bajo el amoroso abrigo de unos padres adoptivos que los ven como si fueran propios.

Sarita vino, amó, y cuando consoló mi corazón, se marchó asegurándose de que ni siquiera su partida dejara dolor. Toda ella fue consolación; por eso siempre pienso que ella debió llamarse Sara Consuelo.

Hasta el día de hoy, mi esposa y yo vivimos de ese consuelo y de la fuerza que nos dejó su entrada en la eternidad. La gloria sea para nuestro Señor Jesucristo y la alabanza a su nombre.

CAPITULO 20

ESTABLECIÉNDONOS Donde Él nos Pone

Miriam, Carlos y Daniela

Daniela era la última hija que nos quedaba y se encontraba bajo tratamiento. Las esperanzas de recibir la buena noticia respecto a la cura de la enfermedad se iban perdiendo. Miriam y yo decidimos que era el momento de regresar a Bolivia. Mientras preparábamos las maletas, en medio de mi oración rutinaria, escuché la voz de Dios que me decía:

- ***"No regreses a tu país, quédate aquí y establece la visión en este lugar, esta es la nueva misión de la que te hablé que tenía para ti".***

Esta palabra implicaba muchos cambios y mi respuesta fue: *"Señor si esto que recibí es tuyo, va a ser necesario que lo confirmes a los otros pastores con los que trabajo, porque Tu sabes que trabajamos en unanimidad. Que yo me quede en este país va a significar un cambio muy grande para el liderazgo, para la iglesia y para el ministerio en Bolivia".*

Continuando mi oración, le dije: *"Si no les confirmas a ellos, no me quedo, pero si lo haces, me quedo".*

"Perdimos a nuestra hija Sarita y también perdíamos a nuestra hija espiritual, Ekklesía Bolivia"

Escribí un e-mail al pastor en Bolivia explicando lo que había sucedido y pidiendo que orara con su esposa para recibir la respuesta de Dios. A la semana siguiente, un día martes en que acostumbrábamos a reunirnos como liderazgo, recibí una llamada. Era la confirmación. Dios confirmaba que me quedara con mi familia. El pastor Salcedo me dijo que habían orado y que sentían paz. Sabían que era Dios quien me había hablado en cuanto a quedarme en Estados Unidos y comenzar una nueva Ekklesía.

Hice un viaje corto a Bolivia para despedirme de la iglesia, arreglar asuntos legales y finalmente, en una reunión general de la congregación, los pastores y la multitud de hermanos que asistieron, oraron por mi familia y por mí. Fueron días muy emotivos porque tuve la oportunidad de despedirme de todas las personas a quienes había pastoreado durante muchos años.

Ya habían pasado ocho meses en que estábamos viviendo con la familia Bejarano quienes nos tuvieron mucha paciencia, pero en vista de haberse determinado que nos quedaríamos a vivir en los Estados Unidos, decidimos que yo buscaría en USA un lugar donde vivir y Miriam iría a Bolivia con Daniela para recoger nuestras cosas, vender lo que pudiera de nuestros bienes, dejar nuestro departamento y hablar con los pastores para ver si ellos querían ayudarnos en nuestro cambio. Finalizaban 22 años de servicio a una visión. Las pocas cosas que teníamos no podíamos traerlas. Pensábamos que la iglesia nos apoyaría, éramos co-fundadores, los pastores principales, y los que habíamos llevado la visión de Dios a su cumplimiento. Nos habíamos ganado el derecho de ser sustentados por la iglesia a la que dimos nuestra vida.

***"¿Quién fue jamás soldado a sus propias expensas?
¿Quién planta viña y no come de su fruto?
¿O quién apacienta el rebaño y no toma
de la leche del rebaño?"***

1Corintios 9:7

Lastimosamente los pastores fueron influenciados por gente malintencionada y ambiciosa, y poco tiempo después nos dieron la espalda. Miriam y yo quedamos solos para comenzar una nueva etapa. Perdimos a nuestra hija Sarita y también perdíamos a nuestra hija espiritual, Ekklesía Bolivia.

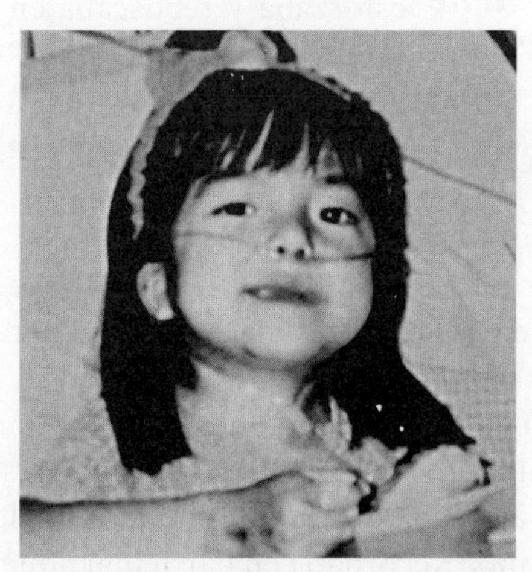

Daniela a sus 5 años en una de sus hospitalizaciones

¿Depresión?

Dios nos había provisto milagrosamente el dinero para comprar un vehículo a través de un discípulo cuya familia nos amaba mucho; fue generoso con nosotros y compramos una "van" antes de que Miriam viajara a Bolivia. Ahora necesitábamos un departamento y para eso necesitaba de otro milagro, porque uno debe tener un historial de crédito para rentar una vivienda en los Estados Unidos. Nosotros no lo teníamos.

Visité muchísimos lugares que se ofrecían para rentar, pero cuando me pedían que llenara la solicitud, por la falta de crédito, se me cerraban las puertas.

"Quisiste deprimirte y sentir tristeza por la partida de tu hija, pero déjame decirte que la paz que tienes viene de mi espíritu y no es de tu mente. Yo la he puesto "

En medio de todo ese ajetreo, me inundó un pensamiento:

-*"Tengo tanta paz en mí que no entiendo, hace poco perdí a mi hija Sarita y me parece que debiera al menos sentir un poco de tristeza..."*. Por más que me esforzaba y rebuscaba en mi interior, no podía hallar ni un poco de tristeza. Era algo que mi mente no podía comprender, no era lógico, no era natural. ¡No era aceptable!...

Decidí ir a la ciudad de Laurel en Maryland. Me dirigí al cementerio y me paré en la tumba de mi hija para ver si sentía la tristeza que pensaba debería tener. Para hacer el asunto más real aun, tomé el CD de música que generalmente escuchaba mientras conducía esa pick-up Toyota roja que me prestaba John para llevar a mi hija al hospital y lo escuché durante los casi cuarenta minutos de camino. Recordaba en particular aquella oportunidad en la que oyendo a "DC Talk", una banda cristiana muy famosa en esos momentos y viajando por la carretera 95 Norte hacia el hospital John's Hopkins, mi hija Sara puso en mi mano un coágulo enorme de su sangre, y mientras trataba de calmar mi angustia, le dije: *"Está bien hijita, no te preocupes"*. Ese recuerdo me parecía perfecto para ayudar a sentir esa tristeza natural que según yo debía estar presente.

Una vez llegado a la tumba, sin contar con la presencia de Miriam ni mi hija Daniela, con la música que inundaba el ambiente desde mi vehículo y parado frente a la tumba de Sarita, esperaba que la tristeza se apoderara de mí.

Esperé cinco minutos, luego diez, luego quince y nada sucedía. La paz de Dios gobernaba mi ser, más allá de lo que podía comprender. La tristeza no tenía cabida en mi corazón. Frustrado, apagué la música, encendí el vehículo y emprendí el retorno a casa.

A unos minutos del cementerio tomé lo que consideré un atajo; era una carretera de solo dos vías rodeada a ambos lados por verdes árboles y maleza; de pronto, el motor de mi van se apagó y con el impulso logré parar a un costado de aquella carretera para intentar nuevamente encender el motor. No lograba resultados. Esperé un momento para intentar de nuevo y nada. El vehículo era nuevo pero no funcionaba.

Me vi obligado a llamar al servicio mecánico, pero me indicaron que buscara una estación de gasolina o algún lugar adecuado para recogerme, porque el lugar donde estaba no tenía dirección visible. Finalmente, después de varios intentos, pude llegar a una estación de gasolina donde nuevamente la van se detuvo. Esperé como una hora. Ya estaba anocheciendo. La grúa llegó y me llevó amablemente a una oficina para rentar autos, porque no tenía cómo volver a casa.

Dos horas más tarde, cansado, con hambre y esta vez muy deprimido, llegué al apartamento donde nos hospedábamos. No había nadie. Decidí orar y preguntar a Dios el motivo por el cual mi vehículo nuevo se había dañado. Ahora sí estaba deprimido.

De pronto - así como sólo Dios responde - sentí Su presencia y escuché Su voz, con una explicación que, como siempre, me dejaría con la boca abierta:

"Quisiste deprimirte y sentir tristeza por la partida de tu hija, pero déjame decirte que la paz que tienes viene de mi espíritu y no es de tu mente. Yo la he puesto allí y nada podrá cambiar eso.

Yo te he sanado definitivamente y es una sanidad que vincula tu espíritu con el mío, por eso no la entiendes, ni tampoco podrás hacerlo, así que no preguntes por qué no entiendes esa paz.

¿Querías sentir tristeza por algo? Bien, te he dado motivo para eso. Puedes sentirte triste por tu auto, pero por el asunto de tu hija, estas definitivamente sano, porque ese es un asunto entre tu espíritu y el mío. No trates de entenderlo tampoco, porque tu mente no lo puede comprender, simplemente disfrútalo".

Quedé totalmente perplejo. Después entendí aquel versículo que dice:

"La paz de Dios que sobrepasa todo entendimiento, reine en vuestros corazones"

Filipenses 4:7

Verdaderamente cuando Dios sana nuestras heridas, lo hace de manera total. Él hace la obra perfecta. Él es Jehová-Rapha nuestro sanador. Estamos convencidos que la sanidad de Dios es real, tanto que en una oportunidad cuando hablaba con mi pastor y apóstol Dick Iverson, luego de escucharme, me dijo:

"Conozco a varias personas que pasaron por situaciones

difíciles y en su rostro puedes ver la marca de esa experiencia. Sin embargo cuando te miro y escucho, en tu rostro no se refleja ninguna marca ni senal de tu sufrimiento".

¡Gloria a Dios una vez más! ¡El hizo una obra completa!

Provisión

Finalmente, después de muchos días de incansable búsqueda, llegué a un condominio donde ofrecían departamentos para rentar. Cuando ingrese a la oficina, me atendió una dama muy amable.

Al entrar en el departamento que estaba disponible, me invadió una paz muy grande y tuve la convicción de que ese sería el lugar donde viviría con mi esposa e hija.

Esta vez no esperé hasta que me pidieran el historial de crédito, sencillamente le dije que no lo tenía. La dama no se inmutó.

-*"¿Puede usted conseguir una carta que diga que recibe un ingreso mensual?"*. Le dije que sí, y me dijo: *"Con eso me basta, porque aquí viene mucha gente que trabaja en organismos internacionales y no tenemos problemas con ellos"*. Conseguí la carta. Ya teníamos un lugar donde reposar la cabeza.

Miriam y Daniela regresaron de Bolivia, y llegaron directamente a nuestro nuevo departamento. Nuestros muebles eran: Una cama que nos habían regalado y un juego de vajilla de una pariente que había fallecido. No teníamos comedor ni living, pero teníamos un techo donde cubrirnos, un vehículo para movilizarnos y la palabra de Dios de establecer la visión en el área metropolitana de Washington DC.

El siguiente paso debería ser establecer la iglesia, que hasta ese momento era conformada por un grupo de hermanos con los que nos reuníamos los días sábados por la noche en el sótano de una iglesia donde pagábamos quinientos dólares mensuales que lograbamos juntar con dificultad.

Ekklesía USA en sus inicios, Virginia

Una de las primeras cosas que hice luego de anunciar a los hermanos que nos quedaríamos a establecer la iglesia, fue que cambiaríamos el día de reunión y lo pasaríamos al domingo por la mañana. Ellos dijeron: *"No es posible conseguir una iglesia que nos rente el día domingo por la mañana, porque las personas usan sus templos en esos horarios"* Respondí que buscaríamos otra cosa.

La siguiente opción que se nos presentaba era un hotel. El Holiday Inn nos cobraría cuatrocientos ochenta dólares semanales. Nos lanzamos en fe.

Iniciamos Ekklesía USA la primera semana de Septiembre en 1997 con una asistencia de 45 personas y una primera ofrenda de ochocientos Dólares. A partir de entonces Dios nos respaldó todo el tiempo y hoy Ekklesía USA es una iglesia sólidamente establecida en el área metropolitana de Washington DC, que cuenta con más de 600 miembros no solamente latinos y americanos, sino de otras latitudes. Las prédicas son simultáneamente traducidas al idioma inglés y son retransmitidas por radio y enviadas por correo a distintos países en todo el planeta.

Ekklesía USA actualmente

Ekklesía USA es nuestra última hija, hablando de iglesias, a menos que Dios diga otra cosa. En cuanto a Miriam y yo, Ekklesía USA será la última iglesia que comencemos con nuestros esfuerzos: todas las otras iglesias que nazcan de nuestro ministerio serán hijas de Ekklesía USA.

CAPITULO 21

EL MILAGRO del Seguro

Daniela fue la que probablemente sufrió más veces el ataque de infecciones, pero tambien fue la más beneficiada durante nuestra estadía en Estados Unidos. A Dios gracias, para ella ya contábamos con un seguro médico, cuya obtención fue un milagro como muchos otros que vivimos como muestra del respaldo de Dios en medio de nuestro peregrinar.

> ***"Eran como 50 hojas con cantidades de datos y un número al final: $us 230.000"***

Cuando Sara fue internada en el hospital, como ya relaté, el dinero que trajimos se terminó prácticamente en una semana.

Cuando me informaron que se continuarían haciendo estudios y que veríamos la parte económica después, no tenía otra opción. Acepté y seguimos adelante. Los meses pasaban y en cada examen, para cada radiografía, scanner, tomografía, biopsia, fisioterapia, lo que fuera que hicieran, yo firmaba la autorización y todo se iba cargando a una cuenta con mi nombre.

Pasado algún tiempo comencé a preocuparme, porque sabía que el monto sería bastante alto y que se necesitaría otro milagro para ver cubiertas las cuentas del hospital.

En medio de todos los tratamientos, la oficina financiera me informó que mi deuda ascendía a la sencilla suma de:

¡$us 230.000!

Nunca en mi vida había tenido ese monto de dinero en mis manos, y ahora era deudor de esa suma por los servicios médicos dados a mis hijas. Mi primera reacción fue decirles que no tenía ese dinero para pagarles y que me dieran un trabajo. Lo único que tenía era a mí mismo, así les pagaría con mi trabajo durante el resto de mis días. Después me inundó una seguridad total, entendiendo que Dios haría algo.

Una hermana de la congregación me sugirió visitar a una trabajadora social en el estado de Maryland. Yo ya había hablado con la trabajadora social del hospital Johns Hopkins y ella me señaló claramente que nada se podía hacer. De todos modos hablé con esta nueva trabajadora social. Le conté la historia de mi familia. Ella se conmovió. Me preguntó si alguna de mis hijas estaba hospitalizada. Le dije que sí. Me preguntó si había entrado por emergencia. Le dije que sí. Entonces me respondió:

-*"El gobierno puede cubrirle una atención de emergencia, por el tipo de visa que tiene"* y me mandó a las oficinas de servicios sociales.

"Pastor... yo también soy cristiana y asisto a una iglesia"

Allí vi mucha gente que buscaba ayuda. Observé algunas personas siendo maltratadas, especialmente por dos personas de color. Me habían dicho que las personas de raza negra mostraban mala voluntad a los latinos, y lo que veía parecía confirmar lo que había escuchado.

Me atendieron y me asignaron una trabajadora social. No sabía quién me atendería, de modo que elevé una oración:

-*"Señor, haz que no me atienda una persona de color, no*

quiero que me rechacen sólo porque soy latino"

Conforme pasaban los minutos, mi oración se intensificaba y en mi corazón sentía una angustia muy grande. Para entonces tenía dos enormes pesos sobre mis hombros: El más grande, la salud y la vida de mis hijas. El otro peso era la deuda que tenía por su atención médica, que no sabía cómo pagaría.

Finalmente llamaron mi nombre, y ahí estaba sentado frente a una trabajadora social de raza negra. Dios no oyó mi oración. Mientras contaba mi historia nuevamente el Espíritu Santo vino en mi ayuda y claramente me dijo:

-***"Menciona que eres cristiano, que eres pastor y que trabajas en la iglesia"***.

Ella me hacía preguntas:

-*"¿Dónde trabaja? ¿Con quién vive? ¿De dónde recibe sus ingresos?"*.

A cada respuesta, yo añadía:

- *"Como soy cristiano, vivo en la casa de unos hermanos de la iglesia", "Como soy pastor, mi iglesia me envía mi salario desde mi país... a pesar de que se han retrasado por seis meses"* etc. etc. La insistencia del Espíritu Santo era fuerte, de modo que yo parecía disco rayado insertando *"cristiano, pastor, iglesia"* en cada respuesta.

Después de tantas repeticiones, la trabajadora me dice con una sonrisa:

- *"Pastor... yo también soy cristiana y asisto a una iglesia"*.

¡Oh! exclamé; ahora entendía por qué Dios me insistía que subrayara que era cristiano. Luego de preguntar algunas cosas más, me dijo que esperara para ver si podían o no ayudarme.

Media hora de esperar a que la trabajadora volviera fue para mí una experiencia muy difícil de soportar. Finalmente volvió sonriendo. No sabía cómo interpretar esa sonrisa hasta que me dijo:

-*"¡Pastor... vamos a colocar a sus hijas en un plan especial que se llama X02!"*.

Hasta el día de hoy no sé lo que eso significa, pero ese programa cubriría los gastos hospitalarios de mis hijas de manera retroactiva y pagaría todos los gastos del hospital.

¡Gloria a Dios! Ahí estaba otra vez observando un milagro financiero. La miré y sólo me puse a llorar. Ella salió de su escritorio y me abrazó. Luego me dijo:

- *"¡Vamos a orar! ¡Vamos a llamar a una de las recepcionistas para que nos acompañe, porque ella es también cristiana!"*

De pronto veo entrar a la recepcionista y... Sí... era la que trataba mal a los latinos. La trabajadora le contó mi historia y ella explotó con un portentoso:

-*"Hallelujah!"*

Nos abrazamos los tres y ellas lloraban conmigo. Mis mejillas rozaban las mejillas de ellas y nuestras lágrimas se mezclaban mientras apretados en un abrazo dábamos gracias a Dios por Su misericordia. En Cristo no hay latino, ni negro, ni blanco. Su amor nos hace uno.

Esa trabajadora social fue otro de mis ángeles, aun hasta hoy las lágrimas ruedan por mis mejillas al recordar a esta mujer de Dios que fue puesta en nuestro camino para ser instrumento de este enorme milagro.

A las dos semanas me llegaron las tarjetas que usaría para cubrir los gastos en el hospital. Ingrese a la oficina de Donna, la administradora de la clínica que daba servicio a los pacientes con AT (Ataxia Telangiectasia). Ella me había dicho en muchas oportunidades que no me preocupara; bromeaba conmigo para levantarme el ánimo y me decía:

- *"Cuando todo termine, usted se va al aeropuerto y regresa a casa. Nadie va a ir hasta Bolivia para cobrarle".*

Cuando ella vio las tarjetas me tomó de la mano y salimos hacia la oficina de finanzas. Bajamos 11 pisos del edificio de pediatría, pasamos por el lobby principal y llegamos a la oficina de contabilidad; todo el trayecto ella me tenía tomado de la mano contentísima. No sé qué habrán pensado las personas que nos veían así: La administradora de una de las clínicas del mundialmente famoso hospital Johns Hopkins de Baltimore, Maryland, Donna, cruzaba emocionada por todos los pasillos del hospital tomando de la mano al papá de dos niñas pacientes, para mostrar el milagro a los contadores que necesitaban ver el pago por los servicios del hospital. Estos momentos tan humanos, tan nobles que vivíamos en medio del dolor, nos hacían sentir que Dios y sus ángeles estaban con nosotros en medio del horno ardiente.

Al llegar a la oficina, ella buscó a la persona que manejaba mi cuenta. Este le respondió:

"Justamente estoy preparando una carta para el señor Peñaloza, indicando que mandaremos su cuenta a una agencia de cobranza".

Eran como 50 hojas con cantidades de datos y un número al final: $us 230.000.

Donna, con total seguridad, abanicando las tarjetas, le

dijo:

- *"No se moleste. Cargue todo a estas tarjetas".*

El hombre miró las tarjetas, luego me miró muy sorprendido y me dijo:

-*"¿Cómo hizo para conseguir esto?".*

Solo le sonreí. Era mi Señor preparando mi mesa en presencia de mis angustiadores; era mi pastor, que hacía que nada me faltara; era Su sombra que me guiaba en medio del valle de sombra de muerte. Para aquellos que no conocen mucho de la Biblia, esto era el Salmo 23 haciéndose realidad en mi vida.

¡Era Él!

Más Bendiciones Para Daniela

Daniela recibía un tratamiento que le permitía tener valores normales de inmunoglobulinas porque se las administraban para todo el mes. Este tratamiento permitió a Daniela vivir los dos mejores años de su vida: saludable, vivaz, determinada y llena de vida. Miriam había hecho un trabajo excelente en cuanto a plantar nuestra fe en ella.

La iglesia nuevamente prosperaba, los hermanos se añadían y había la necesidad de bautizar a los nuevos creyentes. En uno de esos bautizos, que se realizaron en el mes de Octubre, cuando el frío ya es lo suficientemente fuerte como para ignorarlo, Daniela dijo a su mamá que quería bautizarse.

Miriam trató, infructuosamente de hacerle entender que eso no era posible, porque podía enfermar y no queríamos que eso sucediera. Daniela insistía y ya estaba a punto de llorar. Miriam me mandó llamar y me explicó el deseo de nuestra hija.

Para desanimarla, hice que tocara el agua con sus pequeños

pies, para que sintiera el frío, pero ella estaba decidida. Quería bautizarse. Tuvimos que acceder.

Se sumergió con seguridad y paz; vivimos ese momento con mucha reverencia. Su bautizo fue su momento sobrenatural, su momento de pacto con su Señor, su confirmación y sello de que era ciudadana de la Nueva Jerusalén. Daniela asistió al funeral de sus dos hermanos mayores, José y Sarita. Cuando Miriam les contaba que todos estaríamos un día en la presencia de Dios, Daniela siempre decía que quería que Jesús viniera a llevársela.

Danielita en su bautizo

En varias oportunidades Daniela preguntó:

-*"Mami... ¿tú vas a morir?"*. Miriam respondía que sí. Luego continuaba preguntando:

-*"Mami...¿también yo voy a morir?"* y Miriam le respondía que sí. Entonces Daniela continuaba:

-*"Mami, yo quiero morirme primero"*

Miriam, le decía:

-*"Es muy probable que así sea hijita"*. Daniela continuaba:

- *"Mami, yo quiero morirme primero que tú, porque quiero que en mi entierro tu cantes, y que me pongas muchas flores y no quiero que llores"*.

Miriam respondía:

"Está bien, así lo haremos..."

Daniela estaba planeando su entierro.

Daniela era temática, tanto para sus comidas, como para su entretenimiento. Cuando se le antojaba comer algo, lo hacía todos los días por varias semanas, cuando quería mirar uno de sus videos de dibujos, lo observaba por semanas, dos y hasta tres veces al día, por lo que conocíamos de memoria películas como Toy Story, La bella y la bestia y otras, pero sobre todo, amaba al dinosaurio Barney; era su preferido, cantaba sus canciones, no se perdía el show todos los días. Su sueño era conocer a Barney. Miriam les había enseñado a mis hijos que cuando su papi no podía comprarles lo que querían, podían orar y Dios les proveería lo que desearan (***pedid, y se os dará...***). Estoy seguro de que Daniela en algún momento pidió a Dios conocer al dinosaurio Barney.

En medio de los tratamientos, una enfermera me preguntó si había hecho una solicitud a la fundación "Make a Wish" (Cumpla un deseo). Le dije que no sabía ni de lo que se trataba. Ella me ayudó con el papeleo y unas semanas más tarde una limosina nos recogía de la casa para llevarnos al aeropuerto, donde subiríamos a un avión que nos llevaría a Orlando. ¡A Disney World! Tendríamos una semana con entradas pagadas para todos los shows, hotel y una cita personal con Barney.

Danielita tenía 7 años y estaba en su silla de ruedas. Nos dieron asientos preferenciales en los estudios donde sería la presentación. Luego de cantar varias de las canciones, entre ellas: "*I love you, you love me...*" que Daniela conocía de memoria (y nosotros también), al final nos pidieron que nos quedaramos para la cita personal con Barney. Quedamos solos en el teatro.

Daniela estaba tranquila; no sabía lo que venía. De pronto se abrieron las puertas y allí estaba el dinosaurio color fucsia. Se dirigió hacia nosotros; se detuvo al lado de Daniela; la acarició y jugó un poco con ella. Daniela parecía estar en las nubes. Su expresión de alegría me recuerda la mirada perdida enamorada de las jovencitas cuando están frente a sus ídolos. ¡Nuestra hijita no lo podía creer! ¡Allí estaba Barney sólo para ella!

Disfrutamos uno de los momentos más lindos de la vida de nuestra hijita y luego Barney se fue. Ella había logrado su deseo: Dios una vez más nos había sorprendido con un regalo inesperado.

CAPITULO 22

ES HORA de Partir

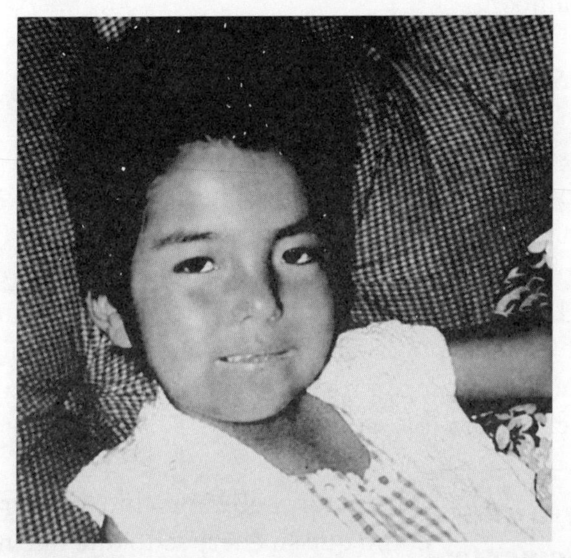

Daniela a sus 7 años, semanas antes de partir

Aproximadamente un mes después de la linda experiencia con Barney, Daniela despertó un día muy desganada. Se sentía cansada, tenía hambre y no quería hacer nada. Me pareció raro.

No tenía fiebre, no había ningún problema con su salud; había vuelto a vencer unos tumores que le salieron y que fueron tratados con un medicamento experimental. Todo parecía estar bien, pero ella no se veía bien. La llevamos a su pediatra que era la esposa del oncólogo que hizo todo lo posible por mantener a

Daniela con vida. El Doctor Lobe es otro de los ángeles que Dios puso para bendecirnos.

Camino al hospital, tuvimos hambre. Nos detuvimos en un lugar en Maryland donde servían un pollo delicioso. Comimos en el vehículo. Daniela no quería más.

- *"No, gracias. Cuando regresemos a casa voy a comer más"* Asumía que retornaríamos el mismo día.

Miriam y yo nos miramos sin decir nada. Nos preguntábamos:

- *"¿Será que regresamos hoy?"*

La salud de Daniela se complicó, sus pulmones dejaron de funcionar y tuvieron que entubarla igual que a Sarita. A las dos o tres semanas estábamos frente al mismo cuadro que vivimos con Sara. Sus pulmones, su hígado y los riñones estaban demasiado cansados. Los médicos ya no podían hacer nada. Daniela se nos iba. El médico no lo podía entender, no había infección, no habían tumores, no había cáncer, no había nada que amenazara su vida, pero Daniela se nos iba.

"Quiero que en el momento que veas a Jesús, hables con Él y le pidas que ayude a tu mami a soportar tu partida, porque me parece que será muy difícil para ella"

El doctor Lobe me dijo que era algo así como que su cuerpecito dijo que no iba más, que había llegado la hora de partir. De un momento a otro la sala de terapia intensiva del edificio de Pediatría del hospital se llenó de médicos, enfermeras, especialistas, científicos que de alguna manera se involucraron con nuestro caso. Todos me mostraban su simpatía; los médicos me instruían sobre lo que sucedería; las enfermeras preparaban a Daniela; Miriam estaba al lado de la cama junto a Daniela que estaba sedada. Estaba más allá que con nosotros.

Quería preguntar algo al Dr. Lobe, pero no lograba encontrarlo. Vi a Miriam que se había apartado del lado de Daniela, y de repente me viene este pensamiento:

"*Daniela es nuestra última hija*".

Ambas estaban muy apegadas y casi instintivamente me acerqué a la cabecera de Daniela. Hablé con Daniela de la misma manera como Miriam lo había hecho con Sara dos años atrás.

"*Danielita*"- le dije - "*Hoy estarás con nuestro Señor en el cielo, hoy verás a tus hermanitos y hoy se termina tu paso por esta tierra. Sabes cómo te amamos, pero tu mami en especial. Quiero que en el momento que veas a Jesús, hables con* Él *y le pidas que ayude a tu mami a soportar tu partida, porque me parece que será muy difícil para ella*".

Me separé una vez más de su lado y al volverme vi que ahí estaba su oncólogo, el doctor Lobe. Me miró y no pudimos aguantar las lágrimas. Él había puesto toda su experiencia profesional y esfuerzo en nuestro caso. Lo podíamos sentir. Nosotros le habíamos tomado mucho cariño también.

La llenura del Espíritu Santo nos daba las fuerzas necesarias para este momento de paso a la eternidad de Danielita. La desconectaron, la pusieron en nuestras faldas y esperamos que su corazón dejara de latir. Otra vez brotaron palabras amorosas de labios de Miriam, despidiendo a su última hija. La pusimos sobre su cama, sabiendo que Daniela estaba siendo llevada por sus ángeles celestiales a la presencia de su Creador.

Miriam y yo bajamos a la cafetería, donde tantas veces habíamos comprado muchas pizzas individuales, porque Daniela solo comía de ellas por varios días. Tomamos un café y estando sentados, de pronto Miriam me miró y me dijo:

"Siento un gozo tan grande, una alegría tan profunda, sé que mi hija ya llegó al cielo y sé que está bien".

Era el vino celestial, el Espíritu Santo que en respuesta a la petición se derramaba sobre el corazón de Miriam, convirtiendo nuestra tristeza en gozo, nuestro llanto en alegría, y nuestra derrota en victoria.

Quienes son padres saben que cada uno de sus hijos es peculiar y tiene sus propias características. En cuanto a Daniela esto era por demás cierto. Algo que la caracterizaba era su obediencia y diligencia. Hacía al momento todo lo que se le pedía; era mucho más diligente que todos sus hermanos y esta vez no sería la excepción. Había llegado al cielo, visto a Jesús y cumplió prontamente con el encargo de su papá, pidiéndole a Dios que ayudara a su madre. No había pasado media hora de su partida y la respuesta ya era evidente.

Estábamos sentados en la cafetería del hospital; acabábamos de perder toda nuestra herencia en esta tierra; ya no teníamos hijos aquí. En lo natural no había motivo para estar felices, pero Miriam y yo pertenecemos a un mundo sobrenatural, aunque nacimos en este mundo, no pertenecemos a él, como sucede con todos aquellos que han nacido de nuevo del amor y misericordia de Dios.

Para nosotros la muerte no era algo final, para nosotros la muerte es una empleada de mala figura y feo aspecto, que sólo abre la puerta de la eternidad para que los que somos lavados por la sangre preciosa de Cristo, entremos en el gozo de nuestro Señor.

Para esa fecha, la iglesia Ekklesía USA ya tenía una membresía más grande y tenía los recursos humanos y materiales para ayudar a su pastor. Nuestros líderes se encargaron de todos los arreglos para el funeral. Gracias a Dios por los maravillosos hermanos que hicieron pacto con Dios y la casa de Dios en la cual presidimos como sus pastores y por su amor incondicional, su servicio y dedicación...todo eso nos hace más deudores todavía... deudores de amor.

El funeral de Daniela fue muy especial. Lo celebramos en una iglesia en Viena, Virginia. Había paz y regocijo. Los arreglos ya estaban hechos; el grupo de alabanza llenaba el ambiente de adoración; habían muchas flores tal y como Daniela había pedido. Miriam se hallaba de pie a mi lado, yo lloraba inconsolablemente, la presencia de Dios era muy intensa. De pronto Miriam me pidió ir a cantar con el coro, porque no podía contener el gozo que la inundaba. Le dije que podía ir y al observarla vi que en su rostro había un brillo de gloria. Ella misma parecía un ángel. No derramó una sola lágrima, tal y como su hija se lo había pedido.

Carlos, Miriam y Betty Strombeck. Funeral de Daniela

Daniela no me había pedido nada; así que yo tenía la libertad para llorar. Otra vez Dios respondía incluso al más mínimo detalle pedido por su pequeña hija Daniela.

En un momento de entendimiento espiritual me di cuenta

que en ese funeral la muerte estaba ausente. Había gozo, victoria, consuelo y amor de Dios.

¡La vida estaba presente!

La Biblia nos habla en las bienaventuranzas en el Nuevo Testamento, que los pobres en Espíritu son bienaventurados porque de ellos es el Reino de los Cielos.

Yo creo que son pobres porque lo han dado todo y han quedado sin nada, pero al quedar sin nada, han permanecido fieles a su Señor, y Dios en su amor, como no es deudor de nadie, les entrega el reino de los cielos. Así es como Miriam y yo nos sentíamos: empobrecidos por haberlo dado todo por el Reino, pero herederos del mismo Reino, porque habíamos permanecido fieles. Tal como el apóstol Pablo dice, para nosotros ***el vivir es Cristo y morir es ganancia. (Filipenses 1:21).***

Quedamos pobres, porque le debemos tanto a tantos ángeles de carne y hueso que toda una vida de agradecimiento no nos alcanzaría para pagar, pero podemos darles lo que tenemos, y lo que tenemos es el Reino de Dios, el consuelo del Espíritu y **la victoria sobre la muerte.**

EPÍLOGO

Han pasado ya varios años de la partida de todos nuestros hijos a la presencia de Dios. Miriam y yo hemos compartido nuestro testimonio innumerables veces y cada vez hemos sido testigos de la obra maravillosa de Dios en la vida de los oyentes.

Algunas personas reciben consuelo por la pérdida de un ser amado para la que no hallaban explicación; otros aclaran conceptos respecto al sufrimiento; otros entienden el por qué de situaciones que de otra forma eran incomprensibles, llegando a admirar a Dios por su poderoso sustento en medio de la prueba.

A veces, unas lágrimas silenciosas simplemente agradecen la gracia de Dios que estuvo presente para nosotros en todo momento, entendiendo que puede ser real también para sus situaciones personales.

En una oportunidad alguien me describió como el "Job del Nuevo Testamento". Me he identificado mucho con algunas experiencias de Job. Especialmente la que se refiere a la pérdida de sus hijos y cómo al final de la historia, Dios restaura a Job y le otorga doble porción de todas las cosas que tenía...

"Los diez hijos que murieron no se perdieron. Durmieron y están en mi presencia. Sumando a los diez que le di al final, son veinte. ¿Cuál es tu reclamo?"

Cuántos de nosotros anhelamos doble porción de lo que Él nos da. Sin embargo, para lograrlo, muchas veces debemos pasar primero por la pérdida de todo lo que tenemos.

Carlos, en la actualidad

Meditando en este libro de la Biblia, nos daremos cuenta que cuando llega el momento de restaurar lo perdido, Dios devuelve a Job diez hijos. Allí me surgió una pregunta. En realidad... un reclamo:

"Dios... si en todas las cosas le devolviste el doble... ¿Por qué en cuanto a los hijos sólo le devolviste diez?.. ¿No deberían ser veinte?... ¡Porque Job perdió diez hijos al principio!"

Una vez más, su respuesta me dejó con la boca abierta. Dios me dijo:

"Los diez hijos que murieron no se perdieron. Durmieron y están en mi presencia. Sumando a los diez que le di al final, son veinte. ¿Cuál es tu reclamo?"

Ahí entendí y confirmé una vez más que los hijos que murieron en Cristo: ¡En realidad están durmiendo! ¡Están en la presencia de Dios! ¡Los veremos otra vez! ¡Los tendremos en los brazos!

Esta convicción es un consuelo. Ellos no han muerto. Duermen y se levantarán nuevamente:

> "***Cuando la trompeta suene en aquel día final,***
> ***y que el alba eterna rompa en claridad,***
> ***cuando los llamados entren a su celestial hogar,***
> ***y que sea llamada lista allí he de estar...***"

¿Recuerda ese himno? ¡Sorbida es la muerte en victoria!

¡Aleluya!

Son muchas y preciosas las lecciones que aprendimos en este peregrinaje y me gustaría añadir algunas más que creo serán de mucha bendición para el lector:

Si tiene hijos pequeños: ¿Los está preparando para la eternidad? Nunca es demasiado temprano para comenzar. Por corta que sea la vida de un ser humano, Dios tiene un propósito para cada uno. La huella que dejan nuestros seres queridos al partir, nos motiva e inspira para enfrentar la vida.

"Y sabemos que a los que aman a Dios,
todas las cosas les ayudan a bien,
esto es,
a los que conforme a Su propósito son llamados"
Romanos 8:28

Ese propósito tiene que ver con el mensaje que Dios está construyendo a través de su vida. Cuanto más difíciles las experiencias, cuanto más dura la vida, cuanto más profundo el sacrificio; tanto más suficiente su Dios; tanto más fuerte y poderoso el mensaje que Él hable a través de su vida.

Miriam, en la actualidad

Muchas personas nos han dicho que si a ellos les tocara pasar por lo que nosotros vivimos, sencillamente no serían capaces de salir adelante; en cierta forma eso es cierto, porque las dificultades de unos no tienen que pasarlas otros y es por eso que Dios no permite que seamos probados más allá de lo que podamos resistir. Tenemos la seguridad de que juntamente con la prueba Él nos da la salida.

Miriam y yo no sabíamos que tendríamos la fuerza para soportarlo, jamás nos imaginamos siquiera que pasaríamos por lo que vivimos, pero cuando estuvimos en medio del horno de fuego, Su gracia fue suficiente. Como en la oportunidad en que le dijo a Pablo: "***Bástate mi gracia***"

Miriam, ministrando en la iglesia

Por estadísticas se conoce que el 95% de las parejas que pierden un hijo terminan en divorcio, probablemente porque se responsabilizan el uno al otro de la pérdida, o el vacío que deja un hijo no puede ser llenado con nada. Ese vacío termina destruyendo el matrimonio. En nuestro caso, luego de veintiséis años de matrimonio en que Miriam y yo servimos a Dios, las palabras de nuestros votos matrimoniales fueron probadas al máximo.

"Para bien o para mal, en salud o enfermedad, en riqueza o en prueba, hasta que la muerte..."

No. Lo difícil de la experiencia no nos pudo separar. La muerte no nos separó, porque cuando quiso enseñorearse de nosotros, gracias a la intervención sobrenatural de Dios, la confesión del apóstol Pablo se nos hizo realidad:

"Antes, en todas estas cosas,
somos más que vencedores por medio de aquél que nos amó.
Por lo cual estoy seguro que ni la muerte,
ni la vida, ni ángeles, ni principados, ni potestades,
ni lo presente, ni lo por venir, ni lo alto, ni lo profundo,
ni ninguna otra cosa creada nos podrá separar
del amor de Dios que es en Cristo Jesús, Señor nuestro."
Romanos 8:37-39

Cuando medito a veces en la posibilidad de haber sido advertido de lo que me esperaba cuando dije a Dios que le serviría, y Él me hubiese preguntado si quería de todos modos continuar, probablemente hubiera dicho que no. Sin embargo, de este lado de la victoria, no me arrepiento de haber decidido servirle y caminar con Él lo que tenía preparado de antemano para mí, porque todo lo que vivimos nos ha permitido encontrar al Dios invisible como el sustento de nuestra vida y simplemente aprender a conocerle como EL DIOS SUFICIENTE para todas las experiencias que nos tocó vivir: el Dios que convierte en victoria lo que se ve como derrota ... el Dios al que nos mantenemos asidos y quien sin importar cuál sea nuestra experiencia, cumplirá su promesa:

"He aquí yo estoy con ustedes hasta lo último de la tierra",

Y ese ***"estar con ustedes"*** no es un ***"estar"*** pasivo de observador, sino un ***"estar involucrado"*** en cada instancia de nuestra vida de manera profunda e integral.

Él nos permitió conocerle en una dimensión que de otra manera no lo hubiésemos logrado.

Ese convencimiento es el que nos hizo experimentar la otra cara de la victoria: El amor de Dios que es real en nuestras vidas, ese amor que da la fuerza para vencer aquello que luce invencible, para continuar donde otros se quedaron, para sentir gozo cuando otros se amargan en el dolor. Ese amor nos convierte en héroes de la fe, así como lo fueron aquellos héroes de Hebreos 11, así como lo fueron aquellos cristianos del primer siglo que por ese amor enfrentaron los leones y el fuego.

Por eso querido lector, no puedo terminar este testimonio sin invitarle a usted a que haga de Jesús su socio de vida, cualquiera sea la situación en la que se encuentre en este momento. Él convertirá la misma en una aventura gloriosa que le permitirá experimentar su compañía, su apoyo, su amor, su sabiduría y su gracia.

Estoy seguro que su vida entrará en una dimensión sobrenatural donde se cumplirá la palabra de ***2 Corintios 5:17: "De modo que si alguno está en Cristo, nueva criatura es; las cosas viejas pasaron; he aquí todas son hechas nuevas"...***

Si realmente este es su deseo,
acompáñeme a hacer esta oración:

"Señor Jesús, perdóname si en algún momento he pensado que me has abandonado o creí que te habías olvidado de mí y que no te importó mi sufrimiento ni las circunstancias que atravesé, cuando en realidad Tú estabas a mi lado en cada una de ellas y yo no te vi.

Ahora entiendo tu gran amor por mí. Gracias por tu perdón.

Hoy me entrego a tí y te pido que escribas mi nombre en el libro de la vida. Me consagro a tí y te ruego que estés conmigo en todas las circunstancias que me toquen vivir y me permitas conocerte a través de todo lo que experimente, sabiendo que Tú haces que todo ayude para bien. Amén".

¡Bienvenido a una vida real donde a pesar de todo,

La Otra Cara De La Victoria

... es maravillosa!

Impreso en Hebron Printers Telf.: (591) 2488348
Calle Santos Machicado # 1694, Plaza Gilberto Rojas Zona San Pedro
www.hebronprinters.com cotizaciones.hebron@gmail.com